문법과 독해 공략 60일 작전

OK 영어 *OK*

최 종 수

역 민 사

OK* 영어 *OK

머 리 말

우리는 열 살 정도 되면 영어를 배우기 시작하여 쉬지 않고 영어 공부를 합니다. 그렇게 노력한 결과, 실력은 어느 정도에 이르러 있을까요, 스스로 만족할 만한가요, 만족하지 못하다면 왜 그럴까요, 혹시 기초가 약한 것은 아닐까요. 이쯤에서 한 번 돌아볼 필요가 있습니다.

모든 것이 마찬가지지만, 영어도 기본 원리를 파악하는 것이 중요합니다. 영어는 체계가 잘 잡혀져 있는 언어로 모든 구성이 기본 원리에 맞도록 되어 있습니다. 그래서 영어는 원리만 확실히 파악하면 오히려 공부하기 쉬운 언어입니다. 영어의 원리란 단어, 구, 절을 가지고 주어, 동사, 목적어, 보어, 부가어를 만드는 것입니다.

이 책에서는 영어의 원리를 문법과 독해로 나누어 살펴보았습니다. 전반부에서는 문법의 기초를 간단하게 설명했습니다. 문법을 설명함에 있어 작은 것부터 큰 것으로, 간단한 것부터 복잡한 것으로 나아가는 방식을 취했습니다. 발전된 형태는 뒤에 따로 묶어 놓았습니다. 또한, 필요한 곳에서는 한글과 비교하여 설명했습니다.

후반부는 앞에서 배운 문법을 활용하여 영어 문장을 분석하고 해석하는 독해 부분입니다. 서정적인 동화부터 미국 대통령의 회고록까지 다양한 영어 원서 작품에서 일부를 뽑아 실었습니다. 독해란 읽고 해석하는 것입니다. 사실, 영어 문장의 대략

만 이해해도 한글 해석은 가능합니다. 그러나 문법적 요소를 완전하게 파악하지 못한 채 계속 새로운 예문만 접한다면 영어 독해의 완성은 기대하기 어렵습니다. 문장의 단어 하나하나, 구 하나하나, 절 하나하나를 분명히 알아낼 수 있어야만 영어 문장을 다 파악했다고 할 수 있는 것입니다. 영어 문장의 완전한 파악, 그것이 이루어져야 합니다.

마지막 부분에서는 영어의 역사에 대하여 간략하게 서술했습니다. 언어에도 역사가 있는 만큼 영어의 역사를 알고 영어를 배우면 훨씬 학습의 심도가 깊어지고 효과적이 될 것입니다.

이 책의 순서대로 2~3개월 동안 문법을 이해하고 독해를 연습하다 보면, 영어 문장이란 정해진 틀 안에서 같은 형태가 계속 반복되는 것이라는 깨달음이 어느 순간에 충격처럼 다가옵니다. 이어서 영어 문장의 전체적 구성이 한눈에 들어오고, 그 때가 되면 영어 공부는 거의 끝난 것이나 다름없습니다.

영어란 결코 배우기 어렵고 골치 아픈 외국어가 아닙니다. 영어가 한글과 다른 언어라 해도 인간이 쓰는 보편적인 표현 수단임에는 마찬가지이기 때문입니다. 이 책을 보다 보면 영어와 한글과의 공통점이 참으로 많구나 하는 생각이 들 때가 있을 것입니다. 어디에서 어떻게 살든, 한국 사람이든 미국 사람이든, 사람이 사는 것은 다 어슷비슷한 면이 있기 때문입니다.

영어 공부에 자신감과 확신을 가지기 바라며, 몇 달 후에 뚜렷하게 향상된 여러분의 영어 실력을 기대합니다. OK, 이제 영어는 OK입니다.

2010년 초여름에 최종수 드림

차 례

문법과 독해 공략 60일 작전

OK 영어 OK

1. 품 사

우리말에도 품사가 있고 영어에도 품사가 있습니다. 품사란 의미와 사용법에서 공통점이 있는 단어들을 묶어놓은 갈래를 말합니다. 한 단어는 반드시 하나의 품사로 분류할 수 있으며, 한 단어가 몇 가지 품사로 쓰이는 경우도 있습니다. 영어에는 8품사가 있고 우리말에는 9품사가 있습니다.

우리말에서 대명사가 무엇인지 부사가 무엇인지 모른다 해도 우리는 말하고 사는데 전혀 지장이 없습니다. 그러나 영어에서 형용사가 무엇인지 전치사가 무엇인지 모르면 앞으로의 영어 공부가 많이 힘들어집니다. 그래서 품사가 무엇인지 꼭 알아두어야 합니다.

〈영어의 품사〉

	품 사
1	명사
2	대명사
3	동사
4	형용사
5	부사
6	전치사
7	접속사
8	감탄사

1. 명사

명사名詞 noun란 사람이나 물건 또는 감정이나 생각의 이름입니다. 이 세상에 존재하는 모든 것들에는 이름이 있습니다. 이름 없는 풀이나 벌레도 풀, 벌레라는 이름은 있습니다.

아버지 father, 선생님 teacher, 하늘 sky, 바다 sea, 구름 clouds, 나무 tree, 사랑 love 같은 것들이 명사입니다. 어느 나라 말이든 단어 중에서 명사의 숫자가 가장 많다고 합니다.

1) 명사의 종류

(1) 보통명사

볼 수 있거나 만질 수 있거나 냄새를 맡을 수 있는 일반적인 명사입니다. 책 book, 학교 school, 공 ball, 그네 swing, 학생 student, 선수 player 같은 것들이 보통명사입니다.

(2) 집합명사

사람이나 사물이 집합을 이루고 있는 것을 말하는 명사입니다. 가족 family, 군대 army, 경찰 police, 단체 group, 모임 club, 가구 furniture 같은 것들이 집합명사입니다.

(3) 물질명사

어떤 물질이 원형 그대로 있거나 가공되기 이전의 상태를 말하는 명사입니다. 공기 air, 물 water, 쌀 rice, 우유 milk, 설탕가루 sugar, 돈 money 같은 것들이 물질명사입니다.

(4) 고유명사

나라 이름, 사람 이름, 산이나 강 같이 하나뿐인 명사를 고유명사라고 합니다. 고유명사를 쓸 때 첫 글자는 반드시 대문자로 씁니다. 대한민국 Korea, 아인슈타인 Einstein, 에베레스트산 Mt. Everest, 아마존 Amazon 같은 것들이 고유명사입니다.

(5) 추상명사

생각 속에서 추상적으로만 존재하는 명사로 눈에 보이지 않고 만지거나 냄새 맡을 수도 없습니다. 마음 mind, 영혼 spirit, 진실 truth, 행복 happiness, 지혜 wisdom 같은 것들이 추상명사입니다.

2) 명사의 변화

(1) 셀 수 있는 명사와 셀 수 없는 명사

명사에는 하나, 둘, 셋 하고 셀 수 있는 명사와 셀 수 없는 명사가 있습니다. 보통명사 · 집합명사는 셀 수 있는 명사이고, 고유명사 · 물질명사 · 추상명사는 셀 수 없는 명사입니다.

(2) 단수와 복수

명사는 하나면 단수, 둘 이상이면 복수라고 합니다. 단수일 때는 원래 단어를 그대로 쓰고 복수일 때는 단어의 모양이 변합니다. 복수 변화에는 단어 끝에 <-(e)s>가 붙어 규칙적으로 변하는 규칙변화와 불규칙하게 변하는 불규칙 변화가 있습니다. 셀 수 있는 명사인 보통명사·집합명사는 단수와 복수 모두 쓰이며, 셀 수 없는 명사인 물질명사·고유명사·추상명사는 단수 취급합니다.

〈명사 변화의 예〉

명사	단수	복수	구분
artist 화가	artist	artists	보통명사, 규칙변화
city 도시	city	cities	보통명사, 규칙변화
knife 칼	knife	knives	보통명사, 규칙변화
child 어린이	child	children	보통명사, 불규칙변화
fish 물고기	fish	fish	보통명사, 불규칙변화
foot 발	foot	feet	보통명사, 불규칙변화
air 공기	air		물질명사
water 물	water		물질명사
China 중국	China		고유명사
Newton 뉴턴	Newton		고유명사
love 사랑	love		추상명사
peace 평화	peace		추상명사

2. 대명사

대명사代名詞 pronoun란 명사의 반복 사용을 피하고 문장의 간소화를 위해 명사 대신에 간단하게 불러주는 낱말을 말합니다.

1) 인칭대명사

대명사 중에서 가장 많이 쓰이는 것이 인칭대명사입니다. 인칭대명사에는 인칭, 수, 격이라는 것이 있습니다. 인칭에는 1인칭, 2인칭, 3인칭이 있으며 1인칭은 나 I, 2인칭은 너 You, 3인칭은 나와 너를 뺀 나머지 모두입니다. 수에는 단수와 복수가 있습니다. 격에는 주격, 목적격, 소유격이 있으며 주격은 문장의 주체가 되는 것이고, 소유격은 가지고 있다는 뜻으로 다음에 명사가 오고 독립적으로 쓰이지 못합니다. 목적격은 목적어가 될 때 쓰입니다.

〈인칭대명사의 수와 격〉

	주격	소유격	목적격
1인칭 단수	I	my	me
2인칭 단수, 복수	You	your	you
3인칭 단수 (남성) 단수 (여성) 단수 (중성)	He She It	his her its	him her it
1인칭 복수	We	our	us
3인칭 복수	They	their	them

2) 소유대명사와 재귀대명사

소유대명사는 누구의 소유라는 것을 밝히는 대명사로 인칭과 수에 따라 달라집니다. 우리말로 하면 <-의 것>이라고 할 수 있습니다.

재귀대명사는 주어로 다시 돌아간다는 뜻에서 재귀대명사라고 합니다. 강조를 위해 쓰이기도 합니다. 재귀대명사도 인칭과 수에 따라 달라집니다. 우리말로 하면 <- 자신>이라고 할 수 있습니다.

〈소유대명사와 재귀대명사〉

	소유대명사	재귀대명사
1인칭 단수	mine	myself
2인칭 단수 복수	yours	yourself yourselves
3인칭 단수 (남성) 단수 (여성) 단수 (중성)	his hers its	himself herself itself
1인칭 복수	ours	ourselves
3인칭 복수	theirs	themselves

3) 지시대명사

사람이나 사물을 가리키는 대명사입니다. this, this의 복수 these, that, that의 복수 those 등이 있습니다.

4) 의문대명사

의문을 나타내는 대명사입니다. who, which, what이 있으며 격에 따른 변화가 있습니다.

〈의문대명사〉

	주격	소유격	목적격
who	who	whose	whom
which	which	of which	which
what	what		what

5) 부정대명사

누구인지 또는 무엇인지 정해져 있지 않다고 하여 부정不定대명사라고 합니다. 막연하게 사람이나 사물을 가리키는 대명사입니다.

one, none, each, both, other, another, neither, any, anyone, anybody, nobody, some, someone, somebody, every, everyone, everybody 등이 있습니다.

3. 동사

동사動詞 verb는 사람이나 사물의 동작 또는 상태를 나타내는 말입니다. 가다 go, 오다 come, 먹다 eat, 마시다 drink, 놀다 play, 움직이다 move, 멈추다 stop, 있다 be, 가지다 have 등이 동사입니다. 명사나 형용사는 때에 따라 낱말 끝이 변하고, 다른 품사들은 모양이 변하지 않습니다. 그러나 동사는 단어 자체가 변하기도 하며 다른 동사와 함께 쓰이기도 합니다.

1) 동사의 종류

(1) 일반 동사

사람이나 사물의 동작이나 상태를 나타내는 일반적인 동사입니다. 동사의 대부분은 일반 동사입니다.

(2) be동사

영어의 동사 가운데 가장 많이 쓰이는 동사가 <be동사>입니다. be동사는 동작을 나타내지 않고 상태나 존재를 나타냅니다. be동사는 본동사로 쓰이지만 <be동사+원형-ing>형태로 진행형, <be동사+과거분사> 형태로 수동형을 만듭니다.

be동사는 am, are, is, was, were, be, being, been의 여덟 가지며 원형은 be, 현재분사는 being, 과거분사는 been입니다. be동사를 외울 때에는 주어와 함께 외우는 것이 좋습니다.

〈be동사〉

	현재	과거	미래
1인칭 단수	I am	I was	I will be
2인칭 단수, 복수	You are	You were	You will be
3인칭 단수(남성) 단수(여성) 단수(중성)	He is She is It is	He was She was It was	He will be She will be It will be
1인칭 복수	We are	We were	We will be
3인칭 복수	They are	They were	They will be

(3) have동사

have동사도 동작을 나타내지 않고 상태를 나타내는 동사입니다. have동사는 단독으로 본동사로 쓰이며 <have동사+과거분사> 형태로 완료형을 만듭니다. have동사는 have, has, had, having의 네 가지입니다.

〈have동사〉

	현재	과거	미래
1인칭 단수	I have	I had	I will have
2인칭 단수, 복수	You have	You had	You will have
3인칭 단수(남성) 단수(여성) 단수(중성)	He has She has It has	He had She had It had	He will have She will have It will have
1인칭 복수	We have	We had	We will have
3인칭 복수	They have	They had	They will have

(4) 조동사

영어 문장에는 주어의 동작이나 상태를 말해주는 동사가 있습니다. 그러나 동사만으로 표현이 부족한 경우, 동사를 보조해 주는 또 다른 동사를 쓸 수 있습니다. 이것을 조동사라고 합니다. 이때 본래의 동사는 본동사라고 합니다.

모든 동사는 본동사로 쓸 수 있으나, 조동사는 몇 개만으로 정해져 있습니다. 조동사는 본동사 앞에 오며, 조동사 다음에 오는 본동사는 반드시 원형을 써야 합니다. 많이 쓰이는 조동사로는 do, can, may, must, have to, will, shall, would, should, could, might 등이 있습니다.

2) 동사의 형태

동사는 시간과 상황에 따라 형태가 달라집니다. 문장의 내용에 따라 해당되는 형태의 동사가 사용됩니다.

3) 동사의 변화

동사의 과거형과 과거분사형의 변화에는 동사 원형 끝에 <-(e)d> 가 붙는 규칙변화와 일정치 않게 변하는 불규칙변화가 있습니다.

〈동사의 형태〉

형태	내용
원형	동사 원래의 형태
현재형	1. 원형 2. 3인칭 단수에서는 원형 끝에 -(e)s 첨가
과거형	1. 원형 끝에 -(e)d 가 붙는 규칙동사 2. 불규칙하게 변하는 불규칙동사
미래형	will+동사 원형
현재분사형	동사 원형-ing
과거분사형	1. 원형 끝에 -(e)d 가 붙는 규칙동사 2. 불규칙하게 변하는 불규칙동사

〈불규칙변화 동사의 예〉

동사	원형	과거형	과거분사형
begin 시작하다	begin	began	begun
break 깨뜨리다	break	broke	broken
cut 자르다	cut	cut	cut
do 하다	do	did	done
eat 먹다	eat	ate	eaten
go 가다	go	went	gone
know 알다	know	knew	known
see 보다	see	saw	seen
speak 말하다	speak	spoke	spoken

4. 형용사

형용사形容詞 adjective는 명사의 앞 또는 뒤에서 명사의 상태, 모양, 색깔 등을 나타내며 명사를 꾸며 주는 품사입니다. 좋다 good, 나쁘다 bad, 예쁘다 pretty, 바쁘다 busy, 크다 big, 작다 small, 희다 white, 검다 black 같은 말들이 형용사입니다. 형용사는 명사 이외의 다른 품사를 수식하지 않습니다. 본래의 형용사 이외에도 동사의 현재분사, 과거분사 등이 형용사로 쓰입니다. <명사−ly> <명사−al>로 끝나면 형용사입니다.

1) 급변화

형용사는 꾸며주는 명사의 비교 숫자에 따라 급이 달라지는 변화가 있습니다.

(1) 원급

형용사 원래의 모양입니다. 다음에 나오는 명사가 단수이든 복수이든 한 가지만을 꾸며줄 때는 원급을 씁니다.

(2) 비교급

사람이나 사물이 둘이 있고, 그 둘 중 하나를 꾸며줄 때 비교급을 씁니다. 예를 들어, 두 사람이 있는데 그 중 누가 더 키가 큰가를 말할 때에는 비교급을 씁니다. 비교급은 원급 끝에

<-(e)r>을 붙입니다. 음절이 셋 이상인 형용사는 대개 원급 앞에 <more>를 쓰고 끝에 <-(e)r>을 붙이지 않습니다.

(3) 최상급

사람이나 사물이 셋 이상 여럿이 있고, 그 여럿 중 하나를 꾸며줄 때 최상급을 씁니다. 예를 들어, 세 사람 이상이 있는데 그 중 누구 키가 가장 큰가를 말할 때 최상급을 씁니다. 최상급은 원급 앞에 <the>를 붙이고 원급 끝에 <-(e)st>를 붙입니다. 음절이 셋 이상인 형용사는 대개 원급 앞에 <the most>를 쓰고 끝에 <-(e)st>를 붙이지 않습니다. 비교급과 최상급에서 <-(e)r>이나 <the -(e)st>를 붙이지 않고 불규칙하게 변화하는 형용사도 있습니다.

〈형용사 급변화의 예〉

원급	비교급	최상급
big 크다	bigger	the biggest
happy 행복하다	happier	the happiest
high 높다	higher	the highest
much/many 많다	more	the most
good 좋다	better	the best
bad 나쁘다	worse	the worst
little 작다	less	the lest
beautiful 아름답다	more beautiful	the most beautiful
interesting 재미있다	more interesting	the most interesting

2) 관사

관사冠詞 article는 명사 앞에서 다음에 오는 명사의 의미를 결정해 주는 품사입니다. 명사에 씌우는 관이라고 해서 관사입니다. 관사는 명사를 꾸며준다는 뜻에서 형용사에 속하지만 비교급, 최상급의 급변화가 없습니다. 관사에는 정관사와 부정관사가 있습니다. 하나의 명사를 꾸며주는 품사들을 이어 쓸 때는 <관사-부사-형용사-명사>의 순서로 씁니다.

(1) 정관사

<the>를 정관사定冠詞 definite article 라고 합니다. 관사 다음에 오는 명사가 어떤 것인지 정해져 있다는 뜻에서 정관사라고 합니다. 앞에서 이미 나왔거나 기억 속에 있는 명사를 말할 때 정관사를 씁니다. 정관사 다음에 오는 단어의 첫 글자가 자음일 때는 [ðə]라고 발음하고, 모음일 때는 [ði]라고 발음합니다. 우리말로는 <그 -> 라고 할 수 있습니다.

<u>정관사+(부사)+(형용사)+명사</u>

the book
그 책

the rainbow
그 무지개

the clean room
그 깨끗한 방

the beautiful garden
그 아름다운 정원

the very important persons
대단히 중요한 그 사람들

the only busy teacher
유일하게 바쁜 그 선생님

(2) 부정관사

<a/an>을 부정관사不定冠詞 indefinite article라고 합니다. 관사 다음에 오는 명사가 어떤 것인지 정해져 있지 않고 단지 하나의 사람 또는 사물이라는 뜻에서 부정관사라고 합니다. 부정관사 다음에 오는 단어의 첫 글자가 자음일 때는 a[ə]를 쓰고, 모음일 때는 an[ən]을 씁니다. 우리말로는 <- 하나, 한 ->이라고 옮길 수 있고, 우리말로 옮기지 않을 수도 있습니다.

<u>부정관사+(부사)+(형용사)+명사</u>

a car
자동차 한 대

an apple
사과 한 개

a pretty princess
한 예쁜 공주, 예쁜 공주

a big dog

큰 개 한 마리, 한 마리 큰 개, 큰 개

a really great poet

정말 위대한 시인

an always busy woman

항상 바쁜 여인

5. 부사

부사副詞 adverb는 동사, 형용사, 또 다른 부사, 그리고 문장 전체를 꾸며줍니다. 부사는 시간, 장소, 방법, 정도 등을 나타내며 한 부사가 여러 뜻으로 쓰이기도 합니다. 몇몇 부사는 형용사처럼 비교급, 최상급의 급변화가 있습니다. 부사는 문장의 처음, 중간, 마지막 등 어느 곳에나 자유롭게 올 수 있습니다. <형용사-ly>로 끝나면 부사입니다. 다음은 많이 쓰이는 부사들입니다.

부사

시간, 장소, 방법, 정도 등을 나타내는 부사:
ago, after, before, early, late, now,
up, down, far, near, here, there,
again, away, quickly, slowly, exactly,
much, very, well, hard, also, just, only, really, mainly
의문부사 : when, where, why, how, what
빈도부사 : always, usually, often, sometimes, rarely, never

6. 전치사

전치사前置詞 preposition는 명사나 대명사 앞에서 쓰이며 다음에 나오는 단어와의 관계를 나타냅니다. 시간, 장소, 방법, 원인 등을 나타내며, 한 전치사가 여러 의미로 쓰이기도 합니다.

한글의 조사는 명사 뒤에 붙지만, 영어의 전치사는 명사 앞에 놓입니다. 명사 앞에 놓이는 조사, 즉 전치조사前置助詞로 이를 줄여 전치사라고 합니다. 다음은 많이 쓰이는 전치사들입니다.

전치사

about, after, at, before, below, beside, between, by, during, for, from, in, into, of, on, over, since, till, to, under, with, without

7. 접속사

접속사接續詞 conjunction는 단어, 구, 절 등을 서로 연결해 주고, 문장이나 절을 이끌기도 합니다. 다음은 많이 쓰이는 접속사들입니다.

<u>접속사</u>

and, but, or, so, as, because, for, if, that, though, who, what, when, where, why, how, whether, both A and B, either A or B, neither A nor B, not (only) A but (also) B, A as well as B, whether A or B

8. 감탄사

감탄사感歎詞 interjection는 느낌이나 생각을 그대로 표현하는 말로서 한 마디로 문장이 되기도 합니다. Hi, Hello 등 인사말도 감탄사에 속합니다. 다음은 많이 쓰이는 감탄사들입니다.

감탄사

Ah, Aha, Boy, Bye, Dear, Hello, Hi, Hurrah, Hurray, Jesus, Oh, Oops, Pooh, There, Welcome, Wow, Yahoo

2. 주동목보

지금까지 단어 하나하나의 품사에 대해 알아보았습니다. 이제부터는 그 품사들이 모여 어떻게 문장이 이루어지는지에 대해 알아봅니다.

영어 문장에는 주어, 동사, 목적어, 보어의 네 가지 요소가 있습니다. 이것을 줄여서 <주동목보> 라고 하겠습니다. 이 네 요소가 정해진 품사와 정해진 위치에 따라 사용되어 문장이 이루어지는 것입니다. 주동목보 이외의 것은 문장의 필수 요소가 아니라 문장의 내용에 대한 부수적인 상황을 설명해주는 부가어입니다.

〈문장의 구성〉

	주어	동사	목적어	보어	부가어
품사	명사 대명사	동사	명사 대명사	명사 대명사 형용사	부사 접속사
위치	문장 처음	주어 다음	동사 다음	동사 또는 목적어 다음	필요한 위치

1. 주어

주어主語 subject란 한 문장에서 그 문장을 이끌어가는 주체를 말합니다. 영어 문장에서 주어가 없는 문장은 없습니다. 특별한 문장에서 주어가 생략될 수는 있어도 주어는 반드시 있습니다. 주어가 될 수 있는 품사는 명사와 대명사뿐입니다. 주어의 위치는 문장의 맨 처음입니다. 한글에서도 주어는 문장 처음에 오며 '-이(가), -은(는)' 이라는 조사가 붙습니다. 아래 문장에서 밑줄 친 부분이 주어입니다.

주어

I love trees.
나는 나무를 사랑합니다.

You like the river.
당신은 그 강을 좋아합니다.

He is always busy.
그는 항상 바쁩니다.

She sings a song.
그녀가 노래를 부릅니다.

We are the champions.
우리가 챔피언입니다.

They know the truth.
그들은 진실을 압니다.

It is true.
그것은 사실입니다.

The sky is blue.
하늘은 푸릅니다.

A tree enjoys sunshine.
나무 한 그루가 햇빛을 즐깁니다.

2. 동사

동사動詞 verb란 주어가 무엇이며 어떻게 움직이며 어떤 상태인가를 말해주는 요소입니다. 동사라는 품사가 문장에서도 동사입니다. 영어 문장에서 동사가 없는 문장은 없습니다. 주어가 생략되는 경우는 있어도 동사가 생략되는 경우는 없습니다. 다시 말해 동사가 없으면 문장이 못 되는 것입니다.

동사는 주어 바로 다음에 옵니다. 우리말에서 동사는 주어와 멀리 떨어져 문장 마지막에 오지만, 영어에서는 주어와 동사가 같이 붙어 다닙니다. 영어 문장의 동사를 우리말로 옮기면 '-(하)ㅂ니다.' 또는 -(이)ㅂ니다.' 라고 할 수 있습니다. 아래 문장에서 밑줄 친 부분이 동사입니다.

동사

I love trees.
나는 나무를 사랑합니다.

You like the river.
당신은 강을 좋아합니다.

He is always busy.
그는 항상 바쁩니다.

She sings a song.
그녀는 노래를 부릅니다.

We are the champions.
우리는 챔피언입니다.

They know the truth.
그들은 진실을 압니다.

It is true.
그것은 사실입니다.

The sky is blue.
하늘은 푸릅니다.

A tree enjoys sunshine.
나무 한 그루가 햇빛을 즐깁니다.

1) 동사의 시제

영어 문장에서 동사는 시간에 따라 형태가 변하는데, 그 시간의 구분을 시제라고 합니다. 시제에는 현재, 과거, 미래가 있으며, 이것에 각기 기본시제, 진행시제, 완료시제, 완료진행시제가 있어 모두 12시제가 있습니다.

기본시제는 단순히 현재, 과거, 미래를 말합니다. 진행시제란 그 시점에 진행 중일 때 쓰이는 시제로 <be동사+동사 원형-ing> 형태입니다. 완료시제는 현재, 과거, 미래 중 두 가지 이상에 걸쳐 있거나 강조를 위해 쓰이는 시제로 <have동사+과거분사(p.p.)> 형태입니다. 완료진행시제는 완료와 진행이 합쳐진 형태로 <have동사+been+동사 원형-ing>입니다.

간단히 말해 진행형은 <be+-ing>, 완료형은 <have+p.p.> 입니다.

〈동사의 시제〉

시제		동사의 형태
현재	현재	현재형
	현재 진행	be동사 현재형+원형-ing
	현재 완료	have동사 현재형+과거분사
	현재 완료 진행	have동사 현재형+been+원형-ing
과거	과거	과거형
	과거 진행	be동사 과거형+원형-ing
	과거 완료	had+과거분사
	과거 완료 진행	had+been+원형-ing
미래	미래	미래형 : will+원형
	미래 진행	will+be+원형-ing
	미래 완료	will+have+과거분사
	미래 완료 진행	will+have+been+원형-ing

2) 동사의 명칭

영어의 동사는 목적어가 있느냐 없느냐, 보어가 있느냐 없느냐에 따라 명칭이 달라집니다. 목적어가 없으면 자동사自動詞 verb intransitive(vi.), 있으면 타동사他動詞 verb transitive(vt.)라고 합니다. 보어가 없으면 완전동사, 보어가 있으면 불완전동사라고 합니다.

〈동사의 명칭〉

명칭		목적어	보어
자동사	완전 자동사	×	×
	불완전 자동사	×	○
타동사	완전 타동사	○	×
	불완전 타동사	○	○

3. 목적어

목적어目的語 object란 동사의 목적 대상이 되는 것을 말합니다. 명사나 대명사가 목적어가 되며 동사 바로 다음에 옵니다. 우리말로 '-을(를)' 을 붙여 쓸 수 있는 말이 목적어입니다. 다음 문장에서 밑줄 친 부분이 목적어입니다.

목적어

I know the problem.
나는 그 문제를 압니다.

You need him.
당신은 그를 필요로 합니다.

He understands you.
그는 당신을 이해합니다.

She wants the dress.
그녀는 그 드레스를 원합니다.

We enjoy dreams.
우리는 꿈을 즐깁니다.

They open their minds.
그들은 그들의 마음을 엽니다.

It wants foods.
그것은 음식을 원합니다.

Sunshine gives everything.
햇빛은 모든 것을 줍니다.

The eagle saw the rabbit.
독수리는 토끼를 보았습니다.

4. 보어

보어補語 complement란 동사만으로는 주어나 목적어를 충분히 설명해 주지 못할 때 주어나 목적어와 동일한 관계에서 주어를 보완해 주고 설명해주는 말입니다. 명사·대명사·형용사가 보어가 됩니다. 주어를 보완해 주는 보어는 주격 보어, 목적어를 보완해 주는 보어는 목적격 보어라고 합니다.

보어를 가지는 동사로는 be동사가 대표적이고 become, feel 등도 보어를 가지는 동사입니다. 밑줄 친 부분이 보어입니다.

주격 보어

I am a good boy.
나는 착한 아이입니다.

You are a nice girl.
당신은 멋진 소녀입니다.

He is always busy.
그는 항상 바쁩니다.

She became famous.
그녀는 유명해졌습니다.

We feel cold.
우리는 춥습니다.

They became good players.
그들은 좋은 선수가 되었습니다.

It is true.
그것은 사실입니다.

The sky is blue.
하늘은 푸릅니다.

The baby became a child.
그 아기는 어린이가 되었습니다.

목적격 보어

I make my mother happy.
나는 어머니를 행복하게 합니다.

You call him a hero.
당신은 그를 영웅이라고 부릅니다.

He makes his son a strong boy.
그는 아들을 강한 소년으로 만듭니다.

She keeps the room clean.
그녀는 방을 깨끗하게 치웁니다.

We think them honest.
우리는 그들이 정직하다고 생각합니다.

They elected me captain.
그들은 나를 주장으로 뽑았습니다.

It makes me a fool.
그것은 나를 바보로 만듭니다.

The rain made the children sad.
비는 아이들을 슬프게 만들었습니다.

The boy made the monkey a friend.
그 소년은 원숭이를 친구로 만들었습니다.

3. 문장의 형식

영어 문장은 주어, 동사, 목적어, 보어로 이루어집니다. 영어 문장에서 이 네 가지 요소를 배치하는 데에는 다섯 가지 방식이 있습니다. 이것을 문장의 5형식이라고 합니다. 영어 문장은 반드시 이 5형식 중 하나에 해당됩니다. 따라서 영어 문장에서 주어, 동사, 목적어, 보어를 알고 몇 형식인가를 파악하면 결코 이해하지 못할 문장이 없습니다. 부사는 부가어로서 주어, 동사, 목적어, 보어가 될 수 없고, 형식과도 상관없습니다.

〈문장의 형식〉

형식	내용
1형식	주어+동사
2형식	주어+동사+보어
3형식	주어+동사+목적어
4형식	주어+동사+간접목적어+직접목적어
5형식	주어+동사+목적어+목적격 보어

1. 1형식

1형식은 주어 subject와 동사 verb만으로 완전한 문장이 되는 형식입니다. 주어와 동사 이외의 것은 부사입니다. 우리말로 하면 '누가 -(하)ㅂ니다.' 라고 할 수 있습니다.

1형식 문장=주어+동사=S+V

I win.
주어 동사
나는 이깁니다.

You lose.
주어 동사
당신은 집니다.

He runs fast.
주어 동사 부사
그는 빠르게 달립니다.

She dances.
주어 동사
그녀는 춤춥니다.

We study hard.
주어 동사 부사
우리는 열심히 공부합니다.

They live there.
주어 동사 부사
그들은 거기 삽니다.

It grows quickly.
주어 동사 부사
그것은 빨리 자랍니다.

The movie begins.
주어 동사
영화가 시작됩니다.

2. 2형식

2형식은 주어와 동사와 보어 complement로 이루어진 문장입니다. 동사를 가운데 두고 앞뒤에 있는 주어와 보어는 같은 것이라고 보면 됩니다. 우리말로 하면 '누가 -(이) ㅂ니다.' 라고 할 수 있습니다.

2형식 문장=주어+동사+보어=S+V+C

I am a happy child.
주어 동사 보어
나는 행복한 아이입니다.

You become the moon on the stage.
주어 동사 보어 부사구
당신은 무대 위에서 달이 됩니다.

He became a star yesterday.
주어 동사 보어 부사
그는 어제 별이 되었습니다.

She is an old singer.
주어 동사 보어
그녀는 늙은 가수입니다.

We are the champions.
주어 동사 보어
우리는 챔피언입니다.

We become 16 tomorrow.
주어 동사 보어 부사
우리는 내일 열여섯 살이 됩니다.

They are funny children.
주어 동사 보어
그들은 재미있는 아이들입니다.

It is true.
주어 동사 보어
그것은 진실입니다.

The sky is always blue.
주어 동사 부사 보어
하늘은 언제나 푸릅니다.

3. 3형식

3형식은 주어와 동사와 목적어 object로 이루어진 문장입니다. 우리말로 하면 '누가 –을(를) –(하)ㅂ니다.' 라고 할 수 있습니다. '–을(를)' 을 붙이는 목적어가 있으면 3형식입니다.

3형식 문장=주어+동사+목적어=S+V+O

I love trees.
주어 동사 목적어
나는 나무를 사랑합니다.

You like the river.
주어 동사 목적어
당신은 그 강을 좋아합니다.

He always makes a mistake.
주어 부사 동사 목적어
그는 항상 실수를 저지릅니다.

She sings a song merrily.
주어 동사 목적어 부사
그녀는 즐겁게 노래를 부릅니다.

We eat big pizzas.
주어 동사 목적어
우리는 큰 피자를 먹습니다.

They kick the balls.
주어 동사 목적어
그들은 공을 찹니다.

An elephant drinks water.
주어 동사 목적어
코끼리 한 마리가 물을 마십니다.

The trees enjoy sunshine on the hill.
주어 동사 목적어 부사구
나무들은 언덕 위에서 햇빛을 즐깁니다.

4. 4형식

4형식은 주어, 동사, 간접 목적어 indirect object, 직접 목적어 direct object로 이루어진 문장입니다. 3형식에서는 목적어가 하나였으나 4형식에는 목적어가 두 개 있습니다. 직접 목적어는 우리말로 '−을(를)' 을 붙일 수 있고, 간접 목적어는 '−에게' 라는 말을 붙일 수 있는 목적어입니다.

이렇게 목적어를 두 개 가지는 동사를 수여동사라고 합니다. 대표적인 수여동사는 give입니다. 영어 문장에서는 간접 목적어를 먼저 쓰고 다음에 직접 목적어를 씁니다. 우리말로 하면 '누가 −에게 −을(를) −(하)ㅂ니다.' 라고 할 수 있습니다. 간단히 말해 '−에게 −를' 이라는 말이 들어가면 4형식입니다.

4형식 문장=주어+동사+간접목적어+직접목적어=S+V+IO+DO

I gave her flowers.
주어 동사 간접목적어 직접목적어
나는 그녀에게 꽃을 주었습니다.

You give him hope.
주어 동사 간접목적어 직접목적어
당신은 그에게 희망을 줍니다.

He writes her a letter now.
주어 동사 간접목적어 직접목적어 부사
그는 지금 그녀에게 편지를 씁니다.

She tells him the story in the classroom.
주어 동사 간접목적어 직접목적어 부사구
그녀는 교실에서 그에게 이야기를 들려줍니다.

We send her the gifts.
주어 동사 간접목적어 직접목적어
우리는 그녀에게 선물을 보냅니다.

They finally gave people peace.
주어 부사 동사 간접목적어 직접목적어
그들은 결국 사람들에게 평화를 주었습니다.

Soccer often gives the boys dream.
주어 부사 동사 간접목적어 직접목적어
축구는 때때로 그 소년들에게 꿈을 줍니다.

The light shows me the way.
주어 동사 간접목적어 직접목적어
그 빛은 나에게 길을 보여줍니다.

5. 5형식

5형식은 주어, 동사, 목적어, 목적격 보어로 이루어진 문장입니다. 2형식에서 쓰인 보어는 주어를 보완해 주는 주격 보어였습니다. 그러나 5형식에서 쓰이는 보어는 목적어를 보완해 주는 목적격 보어입니다. 목적격 보어는 목적어 바로 다음에 옵니다. 목적격 보어를 갖는 동사로는 make가 많이 쓰입니다. 우리말로 하면 '누가 -을(를) -어떻게 -(하)ㅂ니다.' 라고 할 수 있습니다.

5형식 문장=주어+동사+목적어+목적격 보어=S+V+O+OC

I sometimes make my mother happy.
주어 부사 동사 목적어 목적격보어
나는 가끔 우리 어머니를 행복하게 해줍니다.

You call him a hero.
주어 동사 목적어 목적격보어
당신은 그를 영웅이라고 부릅니다.

He makes his son a strong boy.
주어 동사 목적어 목적격보어
그는 자기 아들을 강한 소년으로 만듭니다.

She keeps the room very clean.
주어 동사 목적어 부사 목적격보어
그녀는 방을 아주 깨끗하게 치웁니다.

We really think him honest.
주어 부사 동사 목적어 목적격보어
우리는 진심으로 그가 정직하다고 생각합니다.

They elected me captain.
주어 동사 목적어 목적격보어
그들은 나를 주장으로 뽑았습니다.

The victory made him great.
주어 동사 목적어 목적격보어
그 승리는 그를 위대하게 만들었습니다.

Rain makes children sad sometimes.
주어 동사 목적어 목적격보어 부사
비는 때때로 아이들을 슬프게 만듭니다.

4. 문장의 종류

영어 문장에는 평서문, 의문문, 명령문, 감탄문의 네 종류가 있습니다. 이 네 가지 종류의 문장에서 중요한 것은 주어와 동사의 위치입니다. 그러나 영어에서는 그 원칙이 분명하기 때문에 원칙만 알면 문장을 구분하는 것은 어렵지 않습니다.

모든 문장은 긍정문 아니면 부정문입니다. 위의 네 종류의 문장에서도 각기 긍정문肯定文과 부정문否定文이 있습니다. 긍정문은 <그렇습니다>는 문장이고 부정문은 <아닙니다 또는 그렇지 않습니다>는 문장입니다. 부정문은 동사 앞 또는 뒤에 not이 들어갑니다.

1. 평서문

평서문은 사실을 있는 그대로 말하는 일반적인 문장입니다. 문장의 구성 순서는 <주어+동사+목적어·보어+마침표>입니다. 우리말로 '-ㅂ니다.'로 끝나는 문장입니다.

부정문을 만들 때에는 be동사는 <be동사+not>, 그밖의 동사는 <조동사+not+동사 원형>입니다.

<u>평서문</u>

I am a good boy.
나는 착한 아이입니다.

I am not a good boy.
나는 착한 아이가 아닙니다.

You are a pretty girl.
당신은 멋진 소녀입니다.

You are not a pretty girl.
당신은 멋진 소녀가 아닙니다.

He makes troubles.
그는 말썽을 일으킵니다.

He does not make troubles.
그는 말썽을 일으키지 않습니다.

She gives me a tulip.
그녀는 나에게 튤립 한 송이를 줍니다.

She does not give me a tulip.
그녀는 나에게 튤립 한 송이를 주지 않습니다.

We made this beautiful garden.
우리가 이 아름다운 정원을 만들었습니다.

We didn't make this beautiful garden.
우리가 이 아름다운 정원을 만들지 않았습니다.

They are great players.
그들은 위대한 선수들입니다.

They are not great players.
그들은 위대한 선수들이 아닙니다.

The teacher keeps us silent.
그 선생님은 우리를 조용하게 합니다.

The teacher can not keep us silent.
그 선생님은 우리를 조용하게 하지 못합니다.

The sky is blue.
하늘은 푸릅니다.

The sky is not blue.
하늘은 푸르지 않습니다.

2. 의문문

의문문은 물음을 나타내는 문장입니다. 의문문은 평서문의 주어와 동사의 순서가 바뀝니다. be동사가 있는 의문문은 <be동사+주어+(보어)+물음표>, 그 밖의 동사는 <조동사+주어+본동사+(목적어)+물음표>의 순서가 됩니다. 우리말로 하면 '-ㅂ니까?' 로 끝나는 문장입니다.

부정문을 만들 때에 be동사는 <be동사+not+(보어)> 그 밖의 동사는 <조동사+not+주어+본동사+(목적어)>로 합니다.

Who, What, Where, When, How, Why 등의 의문사로 시작되는 문장은 의문사를 문장의 처음에 두고 그 다음의 순서는 일반적인 의문문과 마찬가지입니다.

의문문

Am I a good student?
나는 착한 학생입니까?

Am I not a good student?
나는 착한 학생이 아닙니까?

Do you like elephants?
당신은 코끼리를 좋아합니까?

Don't you like elephants?
당신은 코끼리를 좋아하지 않습니까?

Is he handsome?
그는 멋집니까?

Isn't he handsome?
그는 멋지지 않습니까?

Can she start now?
그녀는 지금 떠날 수 있습니까?

Can't she start now?
그녀는 지금 떠날 수 없습니까?

Who are you?
당신은 누구입니까?

What can she do?
그녀는 무엇을 할 수 있습니까?

When can I sleep?
나는 언제 잘 수 있습니까?

Where can we stay?
우리는 어디에 머물 수 있습니까?

Why does the sun shine?
태양은 왜 빛납니까?

How can you help the little boy?
당신은 그 어린 소년을 어떻게 도울 수 있습니까?

3. 명령문

명령문이란 상대방에게 어떤 행동을 하도록 명령하는 문장을 말합니다. 상대방에게 직접 하는 말이므로 You라는 2인칭 주어가 생략됩니다. 우리말로 하면 '-(하)세요!' 또는 '-(하)지 마세요!' 로 끝나는 문장입니다. Let은 1인칭 또는 3인칭 명령문에서 쓰입니다. 문장 끝에는 마침표나 느낌표를 찍습니다.

1) 동사 명령문

동사로 만드는 명령문은 <동사 원형+(목적어)>의 순서로 합니다. 부정문을 만들 때에는 동사 앞에 Don't를 씁니다.

명령문

Come here.
이리 오세요.

Don't Come here.
이리 오지 마세요.

Help me.
도와주세요.

Don't Help me.
나를 돕지 마세요.

Open the door.
문을 여세요.

Don't open the door.
문을 열지 마세요.

Let me free.
나를 내버려 두세요.

Don't let me free.
나를 내버려 두지 마세요.

Let him go.
그를 가게 하세요.

Don't let him go.
그를 가게 하지 마세요.

2) 형용사・명사 명령문

동사가 없고 형용사나 명사로 만드는 명령문은 <Be+형용사 또는 명사>로 합니다. 부정문을 만들 때에는 Be 앞에 Don't를 씁니다.

<u>명령문</u>

Be ambitious!
야망을 가지세요.

Be careful!
조심하세요.

Be quiet!
조용히 하세요.

Be happy!
행복하세요.

Don't be afraid!
두려워하지 마세요.

Don't be noisy!
시끄럽게 하지 마세요.

Don't be sad!
슬퍼하지 마세요.

Be a good man.
좋은 사람이 되세요.

Be a fool.
바보가 되세요.

Don't be a selfish man.
이기적인 사람이 되지 마세요.

Don't be a bad student.
나쁜 학생이 되지 마세요.

4. 감탄문

감탄문이란 받은 느낌을 강하게 표현하는 문장입니다. What과 How가 문장을 이끌며 문장 끝에는 느낌표를 붙입니다.

What이 이끄는 문장은 <What+a+형용사+명사+주어+동사>의 순서이고, How가 이끄는 문장은 <How+형용사+주어+동사>입니다.

감탄문

What a stupid boy I am!
나는 그토록 어리석은 소년인가!

What a nice girl you are!
당신은 그토록 멋진 소녀인가!

What a busy man he is!
그는 그토록 바쁜 남자인가!

What a happy woman she is!
그녀는 그토록 행복한 여자인가!

How stupid I am!
나는 얼마나 어리석은가!

How nice you are!
당신은 얼마나 멋진가!

How busy he is!
그는 얼마나 바쁜가!

How happy she is!
그녀는 얼마나 행복한가!

How lazy we are!
우리는 얼마나 게으른가!

How wonderful they are!
그들은 얼마나 멋진가!

5. 구구절절

지금까지 가장 기본적인 영어 문장의 원칙들을 배웠습니다. 그러나 이것이 영어의 전부는 아닙니다. 이제부터 영어의 다양한 표현 형태를 알아보도록 합니다.

1. 구

구句 phrase란 두 개 이상의 단어가 모여 하나의 단어 역할을 하는 것을 말합니다. 구에는 명사구, 동사구, 전치사구가 있습니다.

1) 명사구

명사구는 명사와 명사를 수식해 주는 몇 개의 단어를 한데 묶어 이루어지는 구입니다. 명사로 쓰이며 주어, 목적어, 보어가 될 수 있습니다.

<관사+(부사)+(형용사)+명사>로 된 명사구와 <명사+전치사+명사>로 이루어진 명사구가 있습니다.

<u>명사구</u>

the rose
그 장미

the beautiful rose
그 아름다운 장미

the very beautiful rose
그 아주 아름다운 장미

the very beautiful red rose
그 아주 아름다운 붉은 장미

a tree
나무 한 그루

a tall tree
키가 큰 나무 한 그루

a very tall tree
아주 키가 큰 나무 한 그루

a very tall old tree
아주 키가 크고 오래 된 나무 한 그루

one of them
그들 중 하나

the name of the tree
그 나무의 이름

goal keeper of our team
우리 팀의 골키퍼

the way of living
삶의 방식

apples on an apple tree
사과나무의 사과들

a baby with smiles
웃는 아기

2) 동사구

동사구는 <동사+전치사>로 이루어진 것과 <동사+to부정사>로 이루어진 것이 있습니다. 동사구는 동사로만 쓰입니다.

<동사+전치사> 형태의 동사구에서 목적어가 대명사일 때는 동사와 전치사가 갈라지고 그 사이에 대명사가 들어갈 수 있습니다. 이런 동사구를 분리동사구라고 합니다.

<u>동사구</u>

go on
계속합니다.

grow up
자랍니다.

laugh at
비웃습니다.

look at
바라봅니다.

turn on the light
불을 켭니다.

turn off the TV
TV를 끕니다.

put it on
그것을 올려놓습니다.

put them down
그것들을 내려놓습니다.

need to come
올 필요가 있습니다.

seem to be
~인 것 같습니다.

would like to talk
이야기하기를 원합니다.

3) 전치사구

전치사구는 <전치사+명사> 형태입니다. 명사구, 형용사구, 부사구로 쓰이며, 시간과 장소를 나타내는 부사구로 많이 쓰입니다.

<u>전치사구</u>

in the classroom
교실에서

on the clean table
깨끗한 탁자 위에서

at the very big city
아주 큰 도시에서

from home
집에서부터

to the mountain
산까지

in 1919
1919년에

on Friday
금요일에

around 11 o'clock
11시 경에

2. 절

절節 clause 이란 하나의 완전한 문장 형태, 즉 주어와 동사, 목적어 또는 보어를 갖추고 있으면서 문장 안에서 하나의 단어 역할을 하는 것을 말합니다. 바꾸어 말해, 절이 하나면 그것은 문장이고, 한 문장 안에 절이 두 개 이상 있으면 그것은 절이 되는 것입니다. 절이 만들어지는 이유는, 문장의 수를 줄여 간소화하기 위한 것과 문장 안에서 꾸며주고 꾸며주는 것이 거듭되기 때문입니다.

한 문장 안에는 몇 개의 절이 있을 수 있고, 구나 절 안에 또 절이 있을 수 있습니다. 절은 단독으로 쓰이거나, 접속사가 이끌어 갑니다. 절은 명사, 형용사, 부사로 쓰이며 각기 명사절, 형용사절, 부사절이라고 합니다.

영어 문장은 단어, 구, 절이 적절히 섞여 이루어집니다. 단어는 품사로 분류하여 이미 공부했고, 구의 여러 형태도 앞에서 다 배웠습니다. 마지막으로 절입니다. 절의 이해는 영어 문장 구성 파악의 마지막 단계입니다.

1) 명사절

절이 문장 안에서 명사로 쓰일 때 그것을 명사절이라고 합니다. 명사절은 주어, 목적어, 보어로 쓰이며 각기 주어절, 목적절, 보어절이라고 합니다. 명사절이 주어절로 쓰이는 경우, 접속사 That이 이끄는 형태는 잘 쓰이지 않고 It ~ that ~. 형식이 많이 쓰입니다. 여기에서 It는 가주어, 즉 가짜 주어이고,

that 이하의 절이 진주어, 즉 진짜 주어입니다. 절이 목적어로 쓰일 때, 즉 목적절에서는 접속사 that이 생략될 수 있습니다. 밑줄 친 부분이 명사절입니다.

명사절(주어절)

It is important that we are happy.
접속사+주어+동사+보어
우리가 행복하다는 것이 중요합니다.

It is true that he is honest.
접속사+주어+동사+보어
그가 정직하다는 것은 사실입니다.

It is a lie that she is strong.
접속사+주어+동사+보어
그녀가 강하다는 것은 거짓말입니다.

명사절(보어절)

His idea is that you buy the doll.
접속사+주어+동사+목적어
그의 생각은 당신이 그 인형을 사는 것입니다.

The problem is that you are sick.
접속사+주어+동사+보어
문제는 당신이 아프다는 것입니다.

Our duty is that we must play hard.
접속사+주어+동사+부사
우리의 의무는 우리는 열심히 놀아야 한다는 것입니다.

명사절(목적절)

I learned (that) the earth is round.
(접속사)+주어+동사+보어
나는 지구가 둥글다는 것을 배웠습니다.

You must believe (that) she loves you.
(접속사)+주어+동사+목적어
당신은 그녀가 당신을 사랑한다는 것을 믿어야 합니다.

We realized (that) he was brave.
(접속사)+주어+동사+보어
우리는 그가 용감하다는 것을 깨달았습니다.

2) 형용사절

절이 문장 안에서 형용사로 쓰일 때 그것을 형용사절이라고 합니다. 형용사절은 문장의 어느 곳에서나 명사를 수식해 줍니다. 형용사절이 수식해 주는 명사의 인칭·수에 따라 형용사절의 동사와 형태가 결정됩니다. 형용사절은 접속사가 절을 이끌며 단순히 명사를 수식해주기도 하고, 관계대명사나 관계부사가 이끌어가기도 합니다.

(1) 관계대명사

관계대명사는 형용사절을 이끄는 접속사인 동시에 형용사절의 주어・목적어가 되는 대명사입니다. 목적격 관계대명사는 생략할 수 있습니다. 관계대명사 앞에서 관계대명사의 수식을 받는 명사를 선행사라고 합니다. 밑줄 친 부분이 형용사절입니다.

〈관계대명사〉

선행사 / 격	주격	소유격	목적격
사람	who	whose	whom
물건	which	whose	which
사람・물건	that		that
물건(선행사 포함)	what		what

형용사절

The young man who is very nice is my teacher.
선행사 (주격)관계대명사+동사+보어
아주 멋진 그 젊은 남자는 우리 선생님입니다.

I met a scientist whose name was Edison.
선행사 (소유격)관계대명사+주어+동사+보어
나는 에디슨이라는 이름의 과학자를 만났습니다.

The man whom I met yesterday was very gentle.
선행사 (목적격)관계대명사+주어+동사+부사
내가 어제 만난 사람은 아주 점잖았습니다.

The airplane is a machine which is flying in the air.
선행사 (주격)관계대명사+동사+부사구
비행기는 공중을 나는 기계입니다.

The old clock whose bell is strong is on the wall.
선행사 (소유격)관계대명사+주어+동사+보어
종소리가 강한 그 낡은 시계는 벽에 걸려 있습니다.

The fruits which you gave me were very sweet.
선행사 (직접목적격)관계대명사+주어+동사+간접목적어
당신이 나에게 준 과일들은 아주 달았습니다.

It was the only boat that saved the children.
선행사 (주격)관계대명사+동사+목적어
그것은 아이들을 구해준 유일한 보트였습니다.

We will find the treasures that they stole.
선행사 (목적격)관계대명사+주어+동사
우리는 그들이 훔쳐간 보물을 찾아낼 것입니다.

He knows what is wonderful.
(선행사 포함 주격)관계대명사+동사+보어
그는 놀라운 것을 알고 있습니다.

She wants what he is drinking.
(선행사 포함 목적격)관계대명사+주어+동사
그녀는 그가 마시고 있는 것을 원합니다.

(2) 관계부사

관계부사는 형용사절을 이끄는 접속사인 동시에 형용사절의 부사로 쓰이는 것입니다. 관계부사에는 where, when, why, how가 있습니다.

<관계부사>

선행사	조건	관계부사
the place 또는 장소를 의미하는 명사(생략 가능)	장소	where
the time 또는 시간을 의미하는 명사(생략 가능)	시간	when
the reason(거의 생략)	이유	why
the way(거의 생략)	방법	how

형용사절

He came to the place where we played.
선행사 관계부사+주어+동사
그는 우리가 놀고 있는 곳에 왔습니다.

2002 was the time when we enjoyed victory.
선행사 관계부사+주어+동사+목적어
2002년은 우리가 승리를 즐기던 때였습니다.

We know (the reason) why he is busy.
(선행사) 관계부사+주어+동사+보어
우리는 그가 왜 바쁜지 압니다(우리는 그가 바쁜 이유를 압니다).

I know (the way) how the butterfly flies.
(선행사) 관계부사+주어+동사
나는 나비가 어떻게 나는지 압니다(나는 나비가 나는 방법을 압니다).

3) 부사절

절이 문장 안에서 부사로 쓰일 때 그것을 부사절이라고 합니다. 부사절은 부가어이므로 주어절, 목적절, 보어절이 될 수 없고, 부사와 마찬가지로 문장 어디에나 올 수 있습니다. 부사절을 이끄는 접속사로는 because, as, if, though, when, where, while 등이 많이 쓰입니다. 밑줄 친 부분이 부사절입니다.

부사절

I am sad because you are poor.
접속사+주어+동사+보어
당신이 가난하기 때문에 나는 슬픕니다.

As we knew it, they didn't tell us.
접속사+주어+동사+목적어
우리가 그것을 아니까 그들은 우리에게 말하지 않았습니다.

If you don't go, you can't learn it.
접속사+주어+동사
당신이 안 간다면 그것을 배울 수 없습니다.

Though she is young, she knows it.
접속사+주어+동사+보어
그녀는 비록 어리지만 그녀는 그것을 압니다.

I study hard when they play.
접속사+주어+동사
그들이 놀 때 나는 열심히 공부합니다.

Where birds fly, trees sing.
접속사+주어+동사
새가 나는 곳에 나무들은 노래합니다.

While he was working, I was sleeping.
접속사+주어+동사
그가 일하는 동안 나는 자고 있었습니다.

3. 준동사

대개의 단어는 한 가지 품사로 쓰이지만 어떤 단어는 여러 품사로 쓰이기도 합니다. 형용사, 부사, 전치사, 접속사 등 4~5가지 품사로 쓰이는 단어도 있습니다.

동사의 일부 형태는 동사 본래의 의미는 그대로 가진 채, 다른 품사로 쓰이기도 합니다. 이러한 것을 준동사라고 하며 to부정사, 동명사, 분사의 세 가지가 있습니다. 준동사는 동사에서 파생되어 나온 것이므로 목적어나 보어를 가질 수 있습니다. 준동사는 구를 이끌어 가기도 합니다.

1) to부정사

to부정사不定詞 to infinitive는 <to+동사 원형> 형태이며 흔히 부정사라고 줄여 말합니다. 품사가 정해져 있지 않다 하여 부정사라고 부릅니다. 명사, 형용사, 부사로 쓰이며 주어, 목적어, 보어, 부사가 될 수 있습니다.

to부정사가 let, make, have 등 사역동사 다음에 올 때는 to가 생략되고 동사 원형만 쓰입니다. 이런 부정사를 원형부정사라고 합니다.

to부정사

to live
사는 것, 산다는 것, 살기

to see

보는 것, 본다는 것, 보기

to walk

걷는 것, 걷는다는 것, 걷기

to study English

영어를 배우는 것, 영어를 배운다는 것, 영어 배우기

to read books

책을 읽는 것, 책을 읽는다는 것, 책 읽기

to send messages

메시지 보내는 것, 메시지를 보낸다는 것, 메시지 보내기

to be a good boy

착한 아이가 된다는 것, 착한 아이 되기

to be honest

솔직한 것, 솔직하기

to be sure

확실한 것, 확실하게 하기

let him go

그를 가게 하는 것, 그를 가게 하기

make them play

그들을 놀게 하는 것, 그들을 놀게 하기

2) 동명사

동명사動名詞 gerund는 <동사 원형-ing>의 형태입니다. 동사의 의미는 그대로 지닌 채 명사로 쓰인다고 하여 동명사라고 합니다. 명사로 쓰이므로 주어, 목적어, 보어가 될 수 있습니다. 밑줄 친 부분이 동명사입니다.

동명사

Seeing is important.
보는 것은 중요합니다.

Learning is not so difficult.
배운다는 것은 별로 어렵지 않습니다.

I don't like cleaning.
나는 청소를 좋아하지 않습니다.

You enjoy fighting.
당신은 싸우는 것을 즐깁니다.

He likes reading.
그는 읽기를 좋아합니다.

She loves drinking.
그녀는 술을 무척 좋아합니다.

We stopped running.
우리는 달리기를 멈추었습니다.

3) 분사

동사에서 파생된 형태 중에는 현재분사 present participle와 과거분사 past participle가 있습니다. 현재분사는 <동사 원형 −ing>이고, 과거분사는 <동사 원형−ed>로 변하는 규칙동사와 불규칙동사가 있습니다.

(1) 현재분사

현재분사는 동명사와 형태가 같습니다. 그러나 현재분사는 동사로서 구를 이끌어 가기도 하고, 형용사로도 쓰입니다.

① 분사구문

현재분사는 목적어 또는 보어를 가지며 부사절을 대신하여 부사구를 만들 수 있습니다. 이것을 분사구문이라고 합니다. 분사구문은 절보다 구조가 간단하므로 문장에서 많이 쓰입니다. 밑줄 친 부분이 분사구문입니다.

<u>분사구문</u>

<u>Finishing the homework,</u> I went to sleep.
<u>숙제를 마치고,</u> 나는 자러 갔습니다.

<u>Being sick,</u> I can not go there.
<u>아파서,</u> 나는 거기 갈 수 없습니다.

Being late, you can not go inside.
늦어서, 당신은 안으로 들어갈 수 없습니다.

Becoming 16, you will be happy,
16살이 되면, 너는 행복할 거야.

Turning to the right, you can find the door.
오른쪽으로 돌면, 문을 찾을 수 있습니다.

Being unhappy, he is still strong.
불행하지만, 그는 아직 강합니다.

Praising God and having favor with all the people
하나님을 찬미하고 또 온 백성에게 칭송을 받으니

② 현재분사의 형용사 용법

현재분사가 형용사로 쓰일 때는 진행 중이라는 의미를 가집니다. 명사만을 수식할 때는 명사 앞에 오고, 보어로 쓰이거나 목적어나 부가어가 있을 때는 명사 뒤에 옵니다. 밑줄 친 부분이 형용사로 쓰이는 현재분사입니다.

현재분사

I saw the dancing girl.
나는 춤추는 소녀를 보았습니다.

You are a fighting machine.
당신은 싸우는 기계입니다.

He found the dog crying.
그는 울고 있는 개를 찾았습니다.

She feels the happiness coming.
그녀는 행복이 다가오는 것을 느낍니다.

We hope the children playing in the garden.
우리는 아이들이 마당에서 놀기를 원합니다.

They saw her on the bench smiling.
그들은 벤치에 앉아 웃고 있는 그녀를 보았습니다.

(2) 과거분사

과거분사는 형용사로도 쓰입니다. 과거분사가 형용사로 쓰일 때는 이미 이루어진 상태를 뜻합니다. 밑줄 친 부분이 형용사로 쓰이는 과거분사입니다.

과거분사

I saw the broken window.
나는 부서진 창문을 보았습니다.

You were really pleased with his return.
당신은 그의 귀환을 진심으로 기뻐했습니다.

He was fighting with the drunken man.
그는 술 취한 사람과 싸우고 있었습니다.

She loves the fallen leaves.
그녀는 떨어진 나뭇잎을 사랑합니다.

We feel tired.
우리는 피곤합니다.

They are failed.
그들은 실패했습니다.

4. 수동태

영어의 문장에는 태態 voice라는 것이 있습니다. 능동태能動態 active voice와 수동태受動態 passive voice입니다. 능동태는 주어가 능동적으로 문장을 이끌어 가는 문장으로 순서는 <주어+동사+목적어>입니다. 수동태는 영어의 독특한 표현 방법의 하나로, 주어가 수동적으로 동작을 받는 형태의 문장입니다.

수동태 문장의 순서는 <주어+be동사+p.p.(과거분사)+by+목적어>입니다. <by+목적어>가 생략되기도 합니다. 영어의 수동태는 무조건 <be+p.p.> 라고 외우면 됩니다. 수동태를 우리말로 옮길 때는 '－는 －에 의해 －되었습니다.' 라고 할 수 있으며, 능동태 형태로 옮길 수도 있습니다. 밑줄 친 부분이 수동태 동사입니다.

수동태 동사

I am disappointed by them.
나는 그들에 의해 실망되었습니다(나는 그들에게 실망했습니다).

You were elected as a captain by them.
당신은 그들에 의해 주장으로 선출되었습니다(그들은 당신을 주장으로 선출했습니다).

He was called a hero by them.
그는 그들에 의해 영웅이라고 불리게 되었습니다(그들은 그를 영웅이라고 불렀습니다).

She was saved by the ship.
그녀는 그 배에 의해 구조되었습니다.

Many jokes are told by him.
많은 농담이 그에 의해 이야기 되었습니다(그는 농담을 잘 합니다).

The poem was read by her.
시가 그녀에 의해 낭독되었습니다(그녀가 시를 낭독했습니다).

The garden is cleared well (by them).
그 정원은 (그들에 의해) 잘 치워져 있습니다.

The mountain was loved (by the people).
그 산은 사람들로부터 사랑을 받았습니다(사람들은 그 산을 사랑했습니다).

5. 화법

화법話法 speech이란 누가 한 말을 어떻게 글로 옮기느냐 하는 방법을 말합니다. 말한 사람의 말을 그대로 옮기는 것을 직접화법이라고 하고 말한 사람의 말을 다른 글 속에 넣어 전달하는 것을 간접화법이라고 합니다.

1) 직접화법

말한 사람의 말을 큰따옴표 " " 안에 인용문으로 그대로 옮기는 방법입니다. 인용문은 본문 앞 뒤 어디에나 올 수 있습니다. 인용문을 둘로 나누어 쓰고 그 중간에 본문이 들어가기도 합니다.

본문이 인용문 중간이나 뒤에 오는 경우, 주어가 대명사면 <주어+동사>의 순서로 하고, 주어가 명사면 순서를 바꾸어 <동사+주어>의 순서로 할 수 있습니다. 인용문을 나누어 쓸 때에 중간에는 쉼표를 찍고, 본문과 인용문이 다 끝난 다음에 마침표를 한 번만 찍습니다.

<u>직접화법</u>

He said, "I am not happy."
그는 말했습니다. "난 행복하지 않아."

Lucy said, "The dog was my friend."
루시가 말했습니다. "그 개는 내 친구였어."

"Good morning," he said.
"좋은 아침." 그가 말했습니다.

"Nice to meet you," said John.
"너를 만나서 기쁘구나." 존이 말했습니다.

"This book," said the teacher, "is very interesting."
"이 책은," 선생님이 말했습니다. "대단히 재미있어요."
"이 책은 대단히 재미있어요." 선생님이 말했습니다.

"Clouds," she said, "are really wonderful."
"구름이," 그녀는 말했습니다. "정말 멋있구나."
"구름이 정말 멋있구나." 그녀는 말했습니다.

"What is this?" he asked.
"이게 뭐야?" 그가 물었습니다.

She cried, "Don't go!"
그녀가 외쳤습니다. "가지 마!"

2) 간접화법

말한 사람의 말을 그대로 옮기지 않고 that이 이끄는 절이나 to부정사가 이끄는 구 등으로 바꾸어 문장을 만드는 방법입니다. 이때 두 절의 시제가 맞아야 합니다. 간접화법에는 따옴표가 없습니다.

간접화법

He said that he was not happy.
그는 자기가 행복하지 않다고 말했습니다.

She said that the dog was her friend.
그녀는 그 개가 자기 친구였다고 말했습니다.

He told me to be good morning.
그는 나에게 좋은 아침이라고 말했습니다.

John said that it was nice to meet me.
존이 나를 만나서 기쁘다고 말했습니다.

The teacher said that this book was very interesting.
선생님은 이 책이 대단히 재미있다고 말했습니다.

She said that clouds were really wonderful.
그녀는 구름이 정말 멋있다고 말했습니다.

He asked what this was.
그는 이게 뭐냐고 물었습니다.

She cried to me not to go.
그녀가 나에게 가지 말라고 외쳤습니다.

6. 발음

발음이란 글을 읽고 말을 할 때 나는 소리입니다. 발음이 정확해야 상대방이 하는 말을 듣고 서로 잘못 이해하는 일이 생기지 않습니다. 영어가 외국어인 우리에게 영어의 발음은 아주 중요한 문제입니다.

한글은 한 글자에 소리도 하나뿐이지만 영어는 같은 글자라도 여러 소리로 읽기도 합니다. 특히 모음은 한 글자를 여러 소리로 읽는 경우가 흔합니다. 예를 들어, 영어의 모음 a는 [a] [ɑ] [ʌ] [ə] [æ] [ei] 등 여러 소리로 나고, 모음 i는 [i] [iː] [ɑi], 자음 c는 [k] [s] 등으로 소리가 납니다. 그래서 영어에는 한글에는 없는 발음기호라는 것이 있습니다. 사전에 [ ] 안에 들어가 있는 것이 발음기호입니다. 영어 원어민들도 발음기호가 없으면 사람 이름조차 잘못 읽는 경우도 있습니다.

발음기호에 따라 영어를 읽고, 반복 훈련에 의해 영어 듣기를 하면 정확한 영어를 구사할 수 있습니다. 그것을 위해서는 발음의 기본 구조와 원칙을 알아두는 것이 필요합니다.

1. 모음과 자음

한글과 영어에는 모음과 자음이 있습니다. 한글은 모음 10개, 자음 14개를 따로 정해 놓아 모두 24개의 자모음이 있으며 이를 조합하여 글자를 만듭니다. 영어는 26개의 글자 중에서 모음 5개, 자음 19개, 반모음 2개로 되어 있습니다. 영어 역시 이를 조합하여 단어를 만듭니다.

한글은 반드시 자음이 먼저 나오고 다음에 모음이 합쳐져 소리가 있는 하나의 글자가 만들어지며 다시 자음으로 받침을 만들기도 합니다. 영어는 자음과 모음을 적절하게 사용하여 단어를 만듭니다.

<한글과 영어의 자음과 모음>

	한글	영어
모음	ㅏ ㅑ ㅓ ㅕ ㅗ ㅛ ㅜ ㅠ ㅡ ㅣ	a e i o u
자음	ㄱ ㄴ ㄷ ㄹ ㅁ ㅂ ㅅ ㅇ ㅈ ㅊ ㅋ ㅌ ㅍ ㅎ	b c d f g h j k l m n p q r s t v x z
반모음		w y

2. 유성음과 무성음

글자를 읽는 소리에는 유성음有聲音과 무성음無聲音이 있습니다. 유성음이란 소리가 있는 음이고, 무성음이란 소리가 없는 음입니다. 한글과 영어의 모음은 모두 유성음이고, 한글의 자음과 영어 자음의 일부는 무성음입니다.

유성음이란 소리가 있어 그 소리가 계속 날 수 있다는 것이고, 무성음이란 소리가 없어 한 번 소리가 나고는 그 다음에는 아무런 소리가 나지 않는다는 것입니다.

예를 들어, 한글의 <가>소리를 내 봅니다. <가> 하고 한 번 소리가 나고 그 다음에는 아무 소리가 없습니다. 길게 소리를 끌어 보면 <가아~>가 되어 <아> 소리가 나는 것이지 <가> 소리는 없습니다. 그래서 <ㄱ>은 무성음으로 한 번 소리가 나고 사라진 것이고 <ㅏ>는 유성음으로 계속 소리가 나는 것입니다. 이때 <ㅇ>이라는 자음을 차용하여 씁니다.

영어의 <v>는 유성음으로 입술과 목젖이 떨리며 <브> 소리가 계속 납니다. <p>는 무성음으로 <프>소리가 한 번 나고 더 이상 아무 소리도 나지 않습니다. 그러므로 <v>는 유성음이고 <p>는 무성음인 것입니다.

<한글과 영어의 유성음과 무성음>

	한글	영어
유성음	모음 전부 : ㅏ ㅑ ㅓ ㅕ ㅗ ㅛ ㅜ ㅠ ㅡ ㅣ	모음 전부 : a e i o u 자음 일부 : b d g j m n r v x z 반모음 : w y
무성음	자음 전부 : ㄱ ㄴ ㄷ ㄹ ㅁ ㅂ ㅅ ㅇ ㅈ ㅊ ㅋ ㅌ ㅍ ㅎ	자음 일부 : c f h k l p q s t

3. 연철

한글과 영어의 발음에 있어서 큰 차이의 하나는 한글은 앞글자와 뒷글자의 소리가 서로 넘나들 수 있다는 것이고, 영어에서는 한 소리는 그 앞뒤의 소리에 거의 영향을 미치지 않는다는 것입니다. 한글에서 자음과 자음이 만났을 때의 변화, 받침과 <ㅇ>이 만났을 때의 변화 등이 영어에서는 적용이 거의 안 되는 것입니다. 예를 하나 들어 봅니다.

"한국 사람이 돈이 많아서 돈을 물 쓰듯 합니다."

이 문장을 소리 나는 대로 써보면 대략 이렇습니다.

[항구 싸라미 도니 마나서 도늘 물 쓰드 탐니다]

원래의 글자대로 소리가 나는 경우가 몇 자 안 됩니다. 이 문장을 영어 원어민에게 읽어보라고 하면 글자 하나하나를 또박또박 소리 내어 이렇게 읽을 것입니다.

[한 국 사 람 이 돈 이 만 아 서 돈 을 물 쓰 듯 합 니 다]

이번에는 영어 문장의 예를 하나 들어보겠습니다.

"I like it only that you come and go."

이것을 한국 사람에게 읽어보라고 하고 조금 과장되게 옮겨보면 아마 이럴 것입니다.

[아일라이키돈니 대추 커맹고]

이쯤 되면 미국 사람도 한국 사람도 영어로서는 알아듣기 힘듭니다. 그러나 한국 사람들에게 이렇게 소리를 내는 것은 잘못된 것도 이상한 것도 아닙니다. 위의 문장을 미국 사람에게 읽으라고 하면 이렇게 읽을 것입니다.

[아이 라이크 잇 온리 댓 유 컴 앤 고]

이 차이가 바로 소리 넘나듦의 차이입니다. 한글은 앞뒤 글자의 소리가 서로 주고받으며 가장 편하고 자연스럽게 소리가 나는 대로 읽습니다. 그러나 영어는 한 음절은 그 소리로만 내야 하고, 앞뒤의 소리가 서로 영향을 주지 않는다는 것이 원칙이기 때문입니다. 한글은 소리의 연철이 되는 언어이고 영어는 소리의 연철이 안 되는 언어인 것입니다.

그러한 이유로 한글은 말을 할 때 입모양이 크게 움직이지 않습니다. 입술도 별로 움직이지 않고 입모양, 턱도 크게 움직이지 않습니다. 입모양을 많이 움직이지 않아도 소리가 연결되고 의미가 전달되기 때문입니다.

반면에 영어는 한 음절 한 음절 정확하게 소리를 내기 위해서는 입모양을 그때그때 빨리 움직여야 합니다. 그래서 영어를 말하는 사람들은 입술이 많이 움직이고 입 크기도 컸다 작았다 하며 턱도 많이 움직입니다.

이러한 원리를 알고 영어를 듣고 말하면 훨씬 정확하게 영어의 발음을 이해하게 됩니다.

4. 악센트와 억양

영어와 한글의 발음에서 또 하나의 큰 차이는 영어에는 악센트와 억양이 있는 데에 반해, 한글에는 악센트라는 것은 아예 없고 억양도 그다지 강하지 않다는 것입니다.

물론 한글도 단어나 문장의 내용과 감정에 따라 소리의 고저, 장단, 강약이 있습니다. 단어의 한 예로, 겨울에 하늘에서 내리는 '눈' 과 우리 얼굴에 있는 '눈' 과는 소리의 길이가 다릅니다. 이러한 예는 말, 배 등 많이 있습니다. 문장에서도 강조하고 싶은 부분을 강하게 말하여 의사를 표시하기도 합니다.

그러나 한글의 발음에 있어서 이러한 것들은 절대적 위치를 차지하지 않고, 단지 관용적으로 쓰이는 것을 이해하는 정도면 됩니다. 그러나 영어의 악센트는 위치가 정해져 있고, 억양에도 일정한 규칙이 있습니다.

영어에서 악센트는 모음에만 있습니다. 한 단어에 모음이 두 개 이상 있을 때 그 중의 하나에 악센트가 있는 것입니다. 악센트는 발음기호에 명기되어 있고 악센트가 부정확하면 알아듣기 어렵거나 잘못 알아듣는 경우가 많습니다. 따라서 영어 단어를 외울 때에는 발음기호를 보고 정확히 읽는 한편 악센트의 위치도 분명히 기억해야 합니다.

억양은 최근에 그 중요도가 점차 약해지고 있는 경향이 있습니다. 아마도 영어가 세계 공용어로 쓰이는 과정에서 자연스레 이루어진 결과로 보입니다. 억양이란 문장의 의미와 형태에 따라 어느 부분은 높게, 어느 부분은 낮게, 또 어느 부분은 강하게 어느 부분은 약하게 말하는 것입니다. 영어는 한글보다 억양이 강하여 소리의 영역이 크고 강약도 분명합니다.

억양에는 여러 원칙이 있지만 문장 맨 끝의 소리를 높이 올리느냐 낮게 내리느냐 하는 것도 중요한 부분입니다. 한글과 영어 모두 평서문은 문장의 끝소리를 내리고, 의문문은 끝소리를 올립니다. 그러나 의문문 중에서 <누가 Who> <무엇을 What> <언제 When> <어디서 Where> <왜 Why> <어떻게 How> 등 의문사로 시작하는 문장은 끝소리를 내립니다.

연철과 악센트와 억양, b/v, f/p, l/r 등 자음의 유성음과 무성음의 차이, 이런 것들이 영어와 한글 발음에서 크게 다른 점입니다. 그런 점들을 이해하고 정확히 사용할 수 있다면 영어 발음은 크게 어려울 것이 없습니다.

7. 어휘

영어를 하려면 어휘를 충분히 알아야 합니다. 어휘란 단어 하나하나 또는 단어 전체를 통틀어 포괄적으로 이르는 말이며, 우리가 흔히 하는 말로 단어라고 바꾸어 말해도 내용상 큰 무리는 없습니다.

어휘가 부족하면서, 또는 단어 외우기를 기피하면서 영어를 잘 해보겠다고 하는 경우도 있습니다. 이것은 있을 수 없는 일입니다. 단어를 모르고 어휘가 부족하면 영어는 못 합니다.

중학교 2, 3학년 학생이라면 하루에 단어 15개는 외워야 합니다. 1년 365일 중에서 250일 정도 외운다고 하면 2년 동안 7천5백 개를 외우게 됩니다. 그 중 절반만 기억한다 하면 중학교를 졸업할 때에는 4천 개 가까운 단어를 암기하게 됩니다.

고등학생이 되면 1년에 250일을 20개씩 단어를 외워야 합니다. 그러면 고등학교 1, 2학년 2년 동안에 1만 개의 단어를 외우게 됩니다. 그 중 절반만 기억한다 하면 5천 개 정도의 단어는 암기하게 됩니다. 중학교 때 외운 것까지 합하여 약 9천 개의 단어를 기억하고 있게 됩니다.

9천 개의 단어 중 ⅓~¼을 또 잊는다 하여도 고등학교 2학년을 마칠 때쯤이면 6~7천 개 정도의 단어를 외우고 있는 셈이 됩니다. 이 정도의 단어만 확실하게 암기하고 있으면 어떤 영어 시험도 큰 어려움 없이 대비할 수 있습니다.

영어 단어의 암기는 하루아침에 되는 일이 아닙니다. 위의 계산처럼 4~5년 동안 1년에 250일을 매일 15~20개씩 꾸준히 외워야 하는 것입니다. 적지 않은 시간과 노력과 끈기가 있어야 합니다. 그러나 그것이 그다지 힘든 일은 아닙니다. 중고등학생이면 하루 15~20개의 단어를 외우는 데에는 20~30분이면 충분하기 때문입니다. 문제는 본인의 단어를 외우겠다는 의지입니다.

영어 단어는 손으로 쓰고, 자기가 쓴 것을 눈으로 보며, 입으로 읽고, 자기가 읽는 소리를 귀로 들으면서 외우는 것이 좋습니다. 한 단어를 10번 이상씩, 모든 감각을 총동원해서 쓰면서 외우는 것입니다. 한 번 외울 때 확실하게 깊이 외워 평생 잊지 않는다는 각오로 외워야 합니다. 같은 단어를 3~4번씩 외우는 시간적 정신적 낭비를 해서는 안 됩니다.

단어를 외울 때에는 사전에 있는 순서대로 하는 것이 옳은 방법입니다. 먼저 스펠링을 정확히 쓰고, 다음에 [발음기호]를 보고 발음과 악센트를 확인하고 소리내어 읽어 봅니다. 다음에 품사를 살펴야 합니다. 품사는 사전에 있는 약자를 보고 알 수 있습니다. 명사 *n.* 대명사 *pron.* 동사 *v.* 자동사 v*i.* 타동사 *vt.* 형용사 *a.* 부사 *ad.* 전치사 *prep.* 접속사 *conj.* 감탄사 *int.* 등입니다. 마지막으로 한글 뜻을 살펴봅니다. 영어 단어 하나가 여러 품사, 여러 뜻으로 쓰이는 경우가 많으므로 중요한 것부터 살펴보도록 합니다. 사전에 있는 순서가 대체로 많이 쓰이는 순서입니다.

외워야 할 단어는 단어 학습만을 위해 만들어진 책자를 하나 골라 무조건 그 책을 따라 외우는 것이 좋습니다. 규칙적으로 매일 꾸준히 목표량만 채우면 됩니다. 한편으로는 교과서나 다른 교재에서 모르는 단어들을 모아 따로 각자의 단어장이나 카드를 만들어 병행하는 것도 좋은 방법입니다.

우리가 말하는 영어 공부란 문법의 이해와 단어의 암기, 이 두 가지를 합하여 독해를 하는 것입니다. 이것만 잘 하면 말하기와 듣기는 반복적 훈련으로 충분히 해결됩니다. 문법과 단어, 그리고 독해, 이것이 영어인 것입니다. 이 책으로 기본적인 문법과 독해를 해결하고, 단어는 각자에게 가장 알맞은 방법으로 해결하면 됩니다.

8. 독해

독해란 문장을 읽고 해석하는 것입니다. 이제부터 동화, 소설, 시, 비문학 작품 등을 읽으면서 지금까지 배운 문법들을 활용하여 한글로 해석하는 영어 학습의 완성 단계로 들어갑니다.

독해의 핵심은 주어, 동사, 목적어, 보어, 부가어를 찾아내 구분하는 것입니다. 이것을 <주동목보 덩어리 나누기>라는 말로 표현하고자 합니다. 영어 문장에는 주동목보와 부가어 이외에 다른 것은 아무 것도 없기 때문에, 이것만 잘 하면 영어는 다 하는 것이나 마찬가지입니다.

독해는 한 문단을 기준 단위로 합니다. 먼저 한 문단을 한두 번 읽어 줄거리를 대충 파악하고, 그 동안에 모르는 단어가 있으면 사전에서 찾아 확실하게 알아둡니다. 다음에 한 문장씩 끊어 <주동목보 덩어리 나누기>를 하고 어떤 품사의 단어, 구, 절로 이루어졌는가를 분석합니다.

마지막으로 한글로 해석을 합니다. 해석할 때는 <주어를 가장 먼저, 부사(구・절)를 뒤에 있는 것부터 차례대로 한 덩어리씩, 다음에 목적어나 보어, 마지막으로 동사>를 옮기는 순서로 합니다. 이 공식에 맞춰 순서대로 해석하면 문장마다 어떻게 해석해야 할지 우왕좌왕할 것도 없고, 해석을 잘 하니 못 하니 하는 말도 필요 없게 됩니다. 단지, 가장 알맞은 한글 단어를 선택하는 일만 남게 됩니다.

영어 문장을 문법적으로 파악하고 한글로 해석할 수 있으면 영어의 기본을 배우는 단계는 끝났다고 할 수 있습니다. 그 다음부터는 각자의 목표와 성향에 따라 학습 방향이 달라집니다. 독해를 하기에 앞서, 지금까지 배운 영어 문장의 구성에 대해 총정리를 해 봅니다. 이렇게 간단하게 총정리를 할 수 있는 것이 영어입니다.

〈영어 문장의 구성 요소〉

	내용
단어	8품사로 구분 : 명사, 대명사, 동사, 형용사, 부사, 전치사, 접속사, 감탄사
구	명사구, 동사구, 전치사구
절	명사절, 형용사절, 부사절

〈영어 문장의 구성 형태〉

	품사	위치
주어	명사(구·절), 대명사	문장 처음
동사	동사(구)	주어 다음
목적어	명사(구·절), 대명사	동사 다음
보어	명사(구·절), 대명사, 형용사(구·절)	동사 다음 또는 목적어 다음
부가어	부사(구·절), 접속사	필요한 위치

〈영어 문장 해석의 순서〉

	순서
영어 문장	주어→동사→목적어·보어→부사(구·절)
한글 해석	주어→부사(구·절)→목적어·보어→동사

1. 기초 독해

영어 문장이란 단어, 구, 절이 모여 주어, 동사, 목적어, 보어, 부가어를 만드는 것이라는 사실을 다시 한 번 상기하며 미국 초등학생과 한국 중학생 수준의 영어 원서 동화와 소설을 읽어 보도록 합니다.

첫째 줄에 영문이 있습니다. 둘째 줄에서는 주동목보를 구분하여 그것의 품사를 ( ) 안에 넣고, 절이 나올 경우에는 ( ) 안에 절의 주동목보를 넣었습니다. 셋째 줄에서는 그 문장이 몇 형식인가 살폈고, 넷째 줄에는 한글로 해석을 달았습니다. 설명이 필요한 부분은 줄을 바꾸어 설명을 넣었습니다.

주동목보를 구분하고 몇 형식인가를 따지는 이유는 간단합니다. 하나의 문장을 이루는 수십 개의 단어를 한꺼번에 놓고 문장을 파악하려면 무엇이 무엇인지 헷갈리거나 틀리게 파악하는 경우가 흔히 일어납니다. 그러나 주동목보로 나누어 3~4개, 많아야 5~6개 정도의 덩어리로 나누어 파악하면, 구분과 이해가 훨씬 쉬워져 시간을 줄일 수 있고 해석에 정확성을 기할 수 있기 때문입니다.

여기에서 밑줄을 쳐서 구분한 것이 덩어리입니다. 덩어리 나누기만 잘 하면 문장 전체를 파악하는 것은 시간문제입니다. 이제부터 차분히 연습을 쌓으면 머지않아 영어 독해 능력에 엄청난 향상이 있음을 스스로 느끼게 될 것입니다.

New shoes for Silvia

Johanna Hurwitz

실비아의 새 구두

요한나 후르비츠

Once, far away in another America, a package arrived at the post office. The package came from Tia Rosita. Inside there were gifts for the whole family.

Once, far away in another America,
부사 부사구 장소 부사구(전치사구)
주어 동사가 없으므로 문장이 아니고 부사구일 뿐입니다.
전치사구는 <전치사+명사(구)>입니다.
in another America란 남아메리카를 말하는 것입니다. 이 이야기의 무대는 남아메리카의 어느 시골마을일 것입니다.
전에, 또 다른 아메리카의 저 먼 곳에,

a package arrived at the post office.
주어(명사구) 동사 부사구(전치사구)
부사(구·절)은 문장의 필수 요소가 아니므로 주동목보에 해당이 안 됩니다.
<주어+동사>의 1형식 문장.
소포 하나가 우체국에 도착했습니다.

The package came from Tia Rosita.
주어(명사구) 동사 부사구(전치사구)
<주어+동사>의 1형식 문장.
그 소포는 티아 로지타로부터 왔습니다.

Inside there were gifts for the whole family.
부사 주어(대명사) 동사 보어{명사+형용사구(전치사구)}
<주어+동사+보어>의 2형식 문장.
there는 대명사로서 주어 역할을 하는데 이를 허사虛詞라고 합니다.
<there+be동사> 문장에서 허사는 우리말로 옮기지 않으며 단지 '있다, 없다.'라고만 옮기면 됩니다.
그 안에는 온 가족을 위한 선물들이 있었습니다.

For Silvia there was a wonderful present—a pair of bright red shoes with little buckles that shone in the sun like silver.

For Silvia there was a wonderful present
부사구(전치사구) 주어(대명사) 동사 보어(명사구)
주어 there는 허사입니다.
<주어+동사+보어>의 2형식 절.
실비아에게는 굉장한 선물이 있었습니다.

–a pair of bright red shoes with little buckles
보어[명사구+ 형용사구{전치사구+
that shone in the sun like silver.
형용사절(관계대명사+동사+부사구+부사구)}]
관계대명사 that은 접속사면서 형용사절의 주어입니다. 선행사는 buckles 입니다. 해석할 때는 관계대명사가 이끄는 형용사절부터 먼저 합니다.
–은처럼 햇빛 속에서 빛나는 작은 장식이 달린 반짝이는 빨간 구두 한 켤레였습니다.

Right away, Silvia took off her old shoes and put on the beautiful new ones. Then she walked around so everyone could see.

Right away, Silvia took off her old shoes and put on
부사구 주어 동사구 목적어(명사구) 접속사 동사구
the beautiful new ones.
목적어(명사구)
<주어+동사+목적어+접속사+동사+목적어>로 3형식 절 2개.
앞뒤의 절을 접속사 and가 이어주고 있습니다.
곧 바로, 실비아는 낡은 구두를 벗고 아름다운 새 구두를 신었습니다.

Then she walked around so everyone could see.
부사 주어 동사구 접속사 주어 동사(조동사+본동사)
<주어+동사+접속사+주어+동사>로 1형식 절 2개.
다음에 그녀는 한 바퀴 돌았고 그래서 모든 사람들이 볼 수 있었습니다.

"Mira, mira," she called, "Look, look."

"Mira, mira," she called, "Look, look."
주어 동사 동사
명령문과 <주어+동사>의 1형식 절.
'미라, 미라, 봐, 봐.' 그녀가 외쳤습니다.

"Those shoes are as red as the setting sun," her grandmother said, "But they are too big for you."

"Those shoes are as red as the setting sun,"
주어(명사구) 동사 보어(부사+형용사+접속사+명사구)
<주어+동사+보어>의 2형식 절,
as ~ as 는 ~처럼 이라고 해석합니다.
her grandmother said,
주어(명사구) 동사,
<주어+동사>의 1형식 절,
"But they are too big for you."
접속사 주어 동사 보어(부사+형용사+부사구)
<주어+동사+보어>의 2형식 문장.
'그 구두는 지는 해처럼 붉구나, 그런데 그것들은 너에게 너무 크구나.' 할머니가 말씀하셨습니다.

"Your shoes are as red as the inside of a watermelon," said Papa. "But they are too big. You will fall if you wear them."

"Your shoes are as red as the inside of a watermelon,"
주어(명사구) 동사 보어(부사+형용사+접속사+명사구)
<주어+동사+보어>의 2형식 절,

said Papa,
동사 주어
<주어+동사>의 1형식 절,
said Papa 주어와 동사의 순서가 바뀌었습니다. 직접화법 문장에서 주어가 명사일 때는 순서가 바뀌기도 합니다.
"But they are too big.
접속사 주어 동사 보어(부사+형용사)
<주어+동사+보어>의 2형식 문장.
You will fall if you wear them."
주어 동사(조동사+본동사) 부사절(접속사+주어+동사+목적어)
<주어+동사>의 1형식 문장.
'너의 구두는 수박의 속처럼 빨갛구나. 그런데 그것들은 너무 크구나. 네가 그것을 신으면 넘어질 것 같구나.' 아빠가 말씀하셨습니다.

"Tia Rosita has sent you shoes the color of a rose," said Mama. "We will put them away until they fit you."

"Tia Rosita has sent you shoes the color of a rose,"
주어 동사 간접목적어 직접목적어(명사구)
<주어+동사+간접목적어+직접목적어>의 4형식 절,
시제는 현재완료입니다.
said Mama.
동사 주어
<주어+동사>의 1형식 절,
"We will put them away until they fit you."
주어 동사구 목적어 (전치사) 부사절(접속사+주어+동사+목적어)
<주어+동사+목적어>의 3형식 문장.
put away는 분리동사구로 대명사인 목적어가 중간에 들어가 있습니다.
'티아 로지타가 너에게 장미 색깔의 구두를 보냈구나. 그것이 너에게 맞을 때까지 치워 놓아야겠구나.' 엄마가 말씀하셨습니다.

Silvia was sad. What good were new shoes if she couldn't wear them?

Silvia was sad.
주어 동사 보어(형용사)
<주어+동사+보어>의 2형식 문장.
실비아는 슬펐습니다.

What good were new shoes if she couldn't wear them?
보어(부사+형용사) 동사 주어(명사구) 부사절(접속사+주어+동사+목적어)
<주어+동사+보어>의 2형식 문장.
의문사가 앞에 나온 의문문입니다.
그녀가 그것을 신지 못 한다면 새 구두가 뭐가 좋아?

That night she slept with them in her bed. The next morning Silvia put on the red shoes again. Perhaps she had grown during the night.

That night she slept with them in her bed.
시간 부사 주어 동사 부사구(전치사구) 부사구(전치사구)
<주어+동사>의 1형식 문장.
그날 밤 그녀는 침대에서 구두와 함께 잤습니다.

The next morning Silvia put on the red shoes again.
시간 부사 주어 동사구 목적어(명사구) 부사
<주어+동사+목적어>의 3형식 문장.
다음 날 아침 실비아는 빨간 구두를 다시 신었습니다.

Perhaps she had grown during the night.
부사 주어 동사 부사구(전치사구)
<주어+동사>의 1형식 문장.
시제는 과거완료입니다.
혹시 그녀는 밤사이에 자랐을지도 모릅니다.

No. The shoes were still too big. But she saw that they were just the right size to make beds for two of the dolls. Even though it was morning, the dolls went right to sleep in their new red beds.

No. The shoes were still too big.
부사 주어 동사 보어(부사+부사+형용사)
<주어+동사+보어>의 2형식 문장.
아니요. 구두는 아직도 너무 컸습니다.

But she saw that they were just the right size to make beds
접속사 주어 동사 목적절{접속사+주어+동사+부사+보어+부사구
for two of the dolls.
(to부정사+목적어+부사구)}
<주어+동사+목적어>의 3형식 문장.
그러나 그녀는 그것들이 두 개의 인형을 위한 침대가 되기에 꼭 알맞은 크기라는 것을 알았습니다.

Even though it was morning, the dolls went right to sleep
부사절(접속사+주어+동사+보어) 주어 동사구
in their new red beds.
부사구(전치사구)

날씨나 시간을 말하는 it은 해석하지 않습니다.

<주어+동사>의 1형식 문장.

비록 아침이었지만, 그 인형들은 새로운 빨간 침대로 바로 자러 갔습니다.

ABOUT SIGNALS

Gail Gibbons

신호에 대하여

게일 기번스

The traffic light turns red. A church bell bongs. The police-car siren screams. A football referee throws both arms above his head. All of these are signals.

The traffic light	turns	red.
주어(명사구)	동사	보어

<주어+동사+보어>의 2형식 문장.

교통 신호등이 빨간색으로 바뀌었습니다.

A church bell	bongs.	The police-car siren	screams.
주어(명사구)	동사	주어(명사구)	동사

<주어+동사>의 1형식 문장. <주어+동사>의 1형식 문장.

교회종이 땡땡거립니다. 경찰차 사이렌이 울어댑니다.

A football referee　throws　both arms　above his head.

주어(명사구)　동사　목적어(명사구)　부사구(전치사구)

<주어+동사+목적어>의 3형식 문장.

미식축구 심판이 머리위로 두 팔을 들어 올립니다.

All of these　are　signals.

주어(명사구)　동사　보어(명사)

<주어+동사+보어>의 2형식 문장.

이 모든 것들이 신호입니다.

People use signals to say to each other without using spoken or written words. We see or hear most signals.

People　use　signals　to say　to each other　without using

주어　동사　목적어　부사구　부사구(전치사구)　부사구(전치사+

spoken or written words.

현재분사+목적어)

<주어+동사+목적어>의 3형식 문장.

사람들은 언어나 문자를 사용하지 않고 상대방에게 알리기 위해 신호를 사용합니다.

We　see or hear　most signals.

주어　동사　목적어(명사구)

<주어+동사+목적어>의 3형식 문장.

우리는 많은 신호들을 보거나 듣습니다.

Ancient Romans set fires on mountaintops or on hills to send different messages over long distances. These fires are called beacon fires. One beacon fire signals to ships that there are dangerous cliffs nearby.

Ancient Romans　set　fires　on mountaintops or on hills
주어(명사구)　동사　목적어　부사구(전치사구+접속사+전치사구)
to send different messages　over long distances.
부사구(to부정사+목적어)　부사구(전치사구)
<주어+동사+목적어>의 3형식 문장.
고대 로마인들은 멀리 떨어져 있는 곳에 다양한 메시지를 보내기 위해 산꼭대기나 언덕 위에 불을 놓았습니다.

These fires　are called　beacon fires.
주어(명사구)　동사　보어(명사)
수동태 문장입니다.
<주어+동사+보어>의 2형식 문장.
이런 불들은 봉화라고 불립니다.

One beacon fire　signals　to ships　that there are dangerous cliffs nearby.
주어(명사구)　동사　부사구　목적절(접속사+주어+동사+보어+부사)
<주어+동사+목적어>의 3형식 문장.
어떤 봉화는 근처에 위험한 절벽이 있다는 것을 배에게 알렸습니다.

On the flatlands, a fire warns waiting troops that the enemy is fast approaching.

On the flatlands, a fire warns waiting troops that the enemy
부사구(전치사구) 주어 동사 간접목적어 직접목적절(접속사
is fast approaching.
+주어+동사+부사)
<주어+동사+간접목적어+직접목적어>의 4형식 문장.
평지에서, 봉화 하나가 대기중인 군대에게 적이 빠르게 접근하고 있다는 것을 경고했습니다.

Later in time, and in another part of world, people use drums to send messages. A tribesman beats out a signal to nearby villages saying there is to be a great feast.

Later in time, and in another part of world, people use
부사구 접속사 부사구(전치사구) 주어 동사
drums to send messages.
목적어 부사구(to부정사+목적어)
<주어+동사+목적어>의 3형식 문장.
시간이 흘러, 지구상의 다른 곳에서는, 사람들은 소식을 전하기 위해 북을 사용했습니다.

A tribesman beats out a signal to nearby villages
주어 동사구 목적어 부사구(전치사구)
saying there is to be a great feast.
부사구{현재분사+목적절(주어+동사구+보어)}
<주어+동사+목적어>의 3형식 문장.
어떤 부족민은 큰 잔치가 있다는 것을 이웃마을에 알리는 신호를 두들겼습니다.

Horns are used to make signals, too. On a viking ship a horn blasts its warning to soldiers on shore. A raiding party is coming.

Horns / are used / to make signals, / too.
주어 / 동사 / 목적어(to부정사+목적어) / 부사
<주어+동사+목적어>의 3형식 문장.
나팔 역시 신호를 알리는 데에 사용되었습니다.

On a viking ship / a horn / blasts / its warning / to soldiers
부사구(전치사구) / 주어 / 동사 / 목적어(명사구) / 부사구(전치사구)
on shore. / A raiding party / is coming!
부사구(전치사구) / 주어(명사구) / 동사
<주어+동사+목적어>의 3형식 문장. <주어+동사>의 1형식 문장.
바이킹 배에서는 나팔이 해안의 병사에게 경고 소리를 불어 댔습니다. 약탈 무리 한 떼가 오고 있다!

A native American quickly pulls a blanket off a damp, smoking fire. A puff of smoke rises up toward the sky, telling people the harvest is about to begin. The number of puffs changes depending on the signal.

A native American / quickly / pulls / a blanket / off a damp,
주어(명사구) / 부사 / 동사 / 목적어 / 부사구
smoking fire.
(전치사구)
<주어+동사+목적어>의 3형식 문장.
한 아메리카 원주민이 축축하고 연기 나는 불로부터 담요를 잽싸게 걷어냅니다.

A puff of smoke rises up toward the sky, telling
주어(명사구) 동사구 부사구 부사구{현재분사+
people the harvest is about to begin.
간접목적어+직접목적절(주어+동사구)}
<주어+동사>의 1형식 문장.
연기 한 뭉치가 사람들에게 수확이 곧 시작됨을 알리며 하늘로 퍼져 올랐습니다.

The number of puffs changes depending on the signal.
주어(명사구) 동사 부사구(현재분사구+목적어)
<주어+동사>의 1형식 문장.
연기 뭉치의 숫자는 신호에 따라 변합니다.

Other Native American use columns of smoke for signals. One column of smoke means "Pay attention!" Two columns of smoke mean "All is well." Three columns of smoke mean "Danger!"

Other Native American use columns of smoke for signals.
주어(명사구) 동사 목적어(명사구) 부사구(전치사구)
<주어+동사+목적어>의 3형식 문장.
다른 아메리카 원주민은 신호로 연기 기둥을 사용합니다.

One column of smoke means "Pay attention!"
주어(명사구) 동사 목적어(동사+목적어)
<주어+동사+목적어>의 3형식 문장.
하나의 연기 기둥은 '주의하세요!'를 뜻합니다.

Two columns of smoke mean "All is well."
주어(명사구) 동사 목적절(주어+동사+보어)
<주어+동사+목적어>의 3형식 문장.
두 개의 연기 기둥은 '모든 게 좋아요.'를 뜻합니다.

Three columns of smoke mean "Danger!"
주어(명사구) 동사 목적어
<주어+동사+목적어>의 3형식 문장.
세 개의 연기 기둥은 '위험하다!'를 뜻합니다.

During the American Revolution, soldiers use cannon as signals. The cannons are spaced miles apart. The first one is fired. Its sound travels to the next group of soldiers. They fire their cannon. Then a third burst sounds. And a fourth cannon fires. This is a loud relay of cannon burst signals that all troops must advance.

During the American Revolution, soldiers use cannon as signals.
부사구(전치사구) 주어 동사 목적어 부사구
<주어+동사+목적어>의 3형식 문장.
미국 혁명 동안, 병사들은 신호로 대포를 사용했습니다.

The cannons are spaced miles apart.
주어 동사 부사구
<주어+동사>의 1형식 문장.
대포들은 몇 마일 떨어져 위치해 있었습니다.

The first one is fired.
주어(명사구) 동사
<주어+동사>의 1형식 문장.
첫 번째 한 방이 발사되었습니다.

Its sound travels to the next group of soldiers.
주어(명사구) 동사 부사구(전치사구)
<주어+동사>의 1형식 문장.
그 소리는 병사들의 다음 부대로 전해졌습니다.

They fire their cannon.
주어 동사 목적어(명사구)
<주어+동사+목적어>의 3형식 문장.
그들은 그들의 대포를 쏘았습니다.

Then a third burst sounds.
부사 주어(명사구) 동사
<주어+동사>의 1형식 문장.
그 다음에는 세 번째 대포소리가 터졌습니다.

And a fourth cannon fires.
접속사 주어(명사구) 동사
<주어+동사>의 1형식 문장.
그리고 네 번째 대포가 발사되었습니다.

This is a loud relay of cannon burst signals that
주어 동사 보어{명사구+ 형용사절(접속사+
all troops must advance.
주어+동사)}
<주어+동사+보어>의 2형식 문장.
이것은 모든 부대는 전진해야 한다는 대포 발사 신호의 요란한 소리 릴레이였습니다.

Meanwhile, Paul Revere plans a signal to warn the people of Boston that British troops are going to attack. He waits on horseback while a friend watches from a tall church belfry. Lanterns will be the signal. One lantern means the British are coming by land. . . two lanterns, by sea. Two lanterns shine! Paul Revere makes his famous ride, shouting the warning.

Meanwhile, Paul Revere plans a signal to warn the people of
부사 주어(명사) 동사 목적어 부사구{to부정사+간접
Boston that British troops are going to attack.
목적어+직접목적절(접속사+주어+동사)}
<주어+동사+목적어>의 3형식 문장.
한편, 폴 리비어는 영국 군대가 공격해 올 것이라는 사실을 보스턴 사람들에게 경고할 신호를 계획했습니다.

He　waits　on horseback　while a friend watches
주어　동사　부사구(전치사구)　부사절{접속사+주어+동사+

from a tall church belfry.
부사구(전치사구)}

<주어+동사>의 1형식 문장.

그는 친구가 높은 교회 종탑에서 망을 보는 동안 말등에 올라 대기했습니다.

Lanterns　will be　the signal.
주어　동사　보어

<주어+동사+보어>의 2형식 문장.

등잔불이 신호가 될 것입니다.

One lantern　means　the British are coming by land. . .
주어(명사구)　동사　목적절(주어+동사+부사구)

two lanterns,　by sea.　Two lanterns　shine!
주어(명사구)　부사구(전치사구)　주어(명사구)　동사

<주어+동사+목적어>의 3형식 문장. <주어+동사>의 1형식 문장.

등잔불 하나는 영국군이 육지로 쳐들어온다는 것을 의미하고, 등잔불 두 개는, 바다로. 등잔불 두 개가 빛난다!

Paul Revere　makes　his famous ride,　shouting the warning.
주어　동사　목적어　부사구(현재분사+목적어)

<주어+동사+목적어>의 3형식 문장.

폴 리비어는 경고를 외치면서 그의 유명한 말달리기를 시작했습니다.

Harry Potter

AND THE DEATHLY HALLOWS

J. K. Rowling

CHAPTER NINE A PLACE TO HIDE

해리 포터와 죽음의 성물

조앤 K. 롤링

제 9장 숨을 곳

Everything seemed fuzzy, slow. Harry and Hermione jumped to their feet and drew their wands. Many people were only just realizing that something strange had happened; heads were still turning toward the silver cat as it vanished. Silence spread outward in cold ripples from the place where the Patronus had landed. Then somebody screamed.

Everything seemed fuzzy, slow.
주어(대명사) 동사 보어(형용사)
<주어+동사+보어>의 2형식 문장.
모든 것이 희미하고 느린 것 같았습니다.

Harry and Hermione jumped to their feet and drew
주어(명사+접속사+명사) 동사 부사구 접속사 동사
their wands.
목적어
<주어+동사+목적어>의 3형식 문장.
해리와 헤르미온느는 벌떡 일어나 지팡이를 들었습니다.

Many people were only just realizing that something strange
주어(명사구) 동사+부사+부사 목적절(접속사+주어+
had happened; heads were still turning toward the silver cat
+동사) 주어 동사+부사 부사구{전치사구+
as it vanished.
부사절(접속사+주어+동사)}
<주어+동사+목적어>의 3형식 절; <주어+동사>의 1형식 절.
몇몇 사람만이 이상한 일이 일어났었다는 것을 그제서야 겨우 알아차렸습니다; 사람들의 머리는 아직도 은색 고양이가 사라진 쪽을 향해 있었습니다.

Silence spread outward in cold ripples from the place
주어 동사 부사 부사구(전치사구) 부사구{전치사구+
where the Patronus had landed.
형용사절(관계부사+주어+동사)}
<주어+동사>의 1형식 문장.
침묵은 파트로누스가 착륙한 장소로부터 서늘한 잔물결을 일으키며 바깥쪽으로 퍼져나갔습니다.

Then somebody screamed.
부사 주어 동사
<주어+동사>의 1형식 문장.
그때 누군가 비명을 질렀습니다.

Harry and Hermione threw themselves into the panicking crowd. Guests were sprinting in all directions; many were Disapparating; the protective enchantments around the Burrow had broken.
"Ron!" Hermione cried, "Ron, where are you?"

Harry and Hermione threw themselves into the panicking crowd.
주어 동사 목적어 부사구(전치사구)
<주어+동사+목적어>의 3형식 문장.
해리와 헤르미온느는 공포에 질려 있는 군중 속으로 자신들을 던졌습니다.

Guests were sprinting in all directions; many were Disapparating;
주어 동사 부사구(전치사구) 주어 동사
the protective enchantments around the Burrow had broken.
주어(명사구+전치사구) 동사
<주어+동사>의 1형식 절; <주어+동사>의 1형식 절; <주어+동사> 1형식 절.
하객들은 사방으로 흩어지고 있었고; 많은 사람들이 사라지고 있었고; 버로우를 둘러쌌던 방어 마법은 파괴된 것이었습니다.

"Ron!" Hermione cried, "Ron, where are you?"
주어 동사 부사 동사 주어
<주어+동사>의 1형식 절, <주어+동사>의 1형식 인용문.
'론! 론, 너 어디 있니?' 헤르미온느가 외쳤습니다.

As they pushed their way across the dance floor, Harry saw cloaked and masked figures appearing in the crowd; then he saw Lupin and Tonks, their wands raised, and heard both of them shout, "Protego!", a cry that was echoed on all sides –

As they pushed their way across the dance floor,　Harry　saw
부사절(접속사+주어+동사+목적어+부사구)　주어　동사
cloaked and masked figures　appearing　in the crowd;　then
목적어(명사구)　목적격보어　부사구　부사
he　saw　Lupin and Tonks, their wands raised,　and　heard
주어　동사　목적어(명사구+형용사구)　접속사　동사
both of them shout, "Protego!", a cry that was echoed on all
목적절{주어+동사+목적어+형용사절(관계대명사+동사+부사구)}
sides –

<주어+동사+목적어+목적격보어>의 5형식 절; <주어+동사+목적어>의 3형식 절, <(주어)+동사+목적어>의 3형식 절.

그들이 무도장을 가로질러 갈 길을 헤쳐 나갈 때, 해리는 군중 속에서 망토를 걸치고 가면을 쓴 사람들이 나타나는 것을 보았습니다; 그때 그는 지팡이를 들어 올린 루핀과 통스를 보았고, 그리고 두 사람이 사방으로 울려 퍼지는 '프로테고' 라고 외치는 소리를 들었습니다.

"Ron! Ron!" Hermione called, half sobbing as she and Harry were buffeted by terrified guests: Harry seized her hand to make sure they weren't separated as a streak of light whizzed over their heads, whether a protective charm or something more sinister he did not know –

"Ron! Ron!" Hermione called, half sobbing as she and Harry
(명사) 주어 동사 부사구 부사절(접속사+주어
were buffeted by terrified guests: Harry seized her hand
+동사+ 부사구) 주어 동사 목적어
to make sure they weren't separated as a streak of light
부사구{to부정사+보어+부사절(주어+동사)} 부사절(접속사+주어+
whizzed over their heads, whether a protective charm or
동사+ 부사구)+ 부사구{접속사+명사구+ 접속사+
something more sinister he did not know –
명사구+ 형용사절(주어+동사)}
<주어+동사>의 1형식 절; <주어+동사+목적어>의 3형식 절.

'론! 론!' 그녀와 해리가 겁에 질린 하객들 사이에서 부대끼는 동안 헤르미온느는 반은 흐느끼며 론을 불렀습니다; 해리는 보호 마법인지 아니면 더욱 불길한 무엇인지 그로서는 알 수 없는 한 줄기 빛이 그들 머리 위를 휙 지나갈 때, 서로 떨어지지 않기 위해 그녀의 손을 꼭 잡았습니다.

And then Ron was there. He caught hold of Hermione's free arm, and Harry felt her turn on the spot: sight and sound were extinguished as darkness pressed in upon him; all he could feel was Hermione's hand as he was squeezed through space and time, away from the Burrow, away from the descending Death Eaters, away, perhaps, from Voldmort himself. . . .

And then Ron was there.
접속사 부사 주어 동사 부사
<주어+동사>의 1형식 문장.
바로 그때 론이 그곳에 나타났습니다.

He caught hold of Hermione's free arm, and Harry felt
주어 동사 목적어(명사구) 접속사 주어 동사
her turn on the spot: sight and sound were extinguished
목적어(명사구+부사구) 주어 동사
as darkness pressed in upon him; all he could feel was
부사절(접속사+주어+동사구+부사구) 주어(대명사+형용사절) 동사
Hermione's hand as he was squeezed through space and time,
보어 부사절(접속사+주어+동사+부사구)
away from the Burrow, away from the descending Death Eaters,
부사구(전치사구) 부사구(부사+전치사구)
away, perhaps, from Voldmort himself. . . .
부사 부사 부사구(전치사구)
<주어+동사+목적어>의 3형식 절, <주어+동사+목적어>의 3형식 절; <주어+동사>의 1형식 절; <주어+동사+보어>의 2형식 절.
그는 헤르미온느의 나머지 한 팔을 붙잡았고, 해리는 그 자리에서 그녀가 회전하는 것을 느꼈습니다; 어둠이 해리 위로 덮쳤을 때 보이는 것과 소리가 사라져 버렸습니다; 그가 공간과 시간을 통해 조여 들어갈 때 오직 느낄 수 있었던 것은, 버로우로부터 멀리, 쳐내려오는 죽음을 먹는 자들로부터 멀리, 어쩌면 볼드모트 그로부터 멀리 떨어져 있는 헤르미온느의 손뿐이었습니다.

"Where are we?" said Ron's voice.

"Where are we?" said Ron's voice.
부사 동사 주어 동사 주어
<주어+동사>의 1형식 인용문과 <주어+동사>의 1형식 문장.
'우리가 어디 있는 거야?' 론의 목소리가 말했습니다.

Harry opened his eyes. For a moment he thought they had not left the wedding after all: They still seemed to be surrounded by people.

Harry opened his eyes.
주어 동사 목적어(명사구)
<주어+동사+목적어>의 3형식 문장.
해리는 눈을 떴습니다.

For a moment he thought they had not left the wedding after
부사구 주어 동사 목적절(주어+동사+목적어+부사구)
all: They still seemed to be surrounded by people.
주어 부사 동사구 부사구
<주어+동사+목적어>의 3형식 절; <주어+동사>의 1형식 절.
한 순간 그는 자신들이 결혼식장에서 아직 떠나지 않았다고 생각했습니다; 그들은 아직도 사람들에게 둘러싸여 있는 것 같았습니다.

"Tottenham Court Road," panted Hermione. "Walk, just walk, we need to find somewhere for you to change."

"Tottenham Court Road," panted Hermione. "Walk, just walk,
(명사구) 동사 주어 동사+부사+동사
we need to find somewhere for you to change."
주어 동사구 목적어 부사구 부사구
<인용구>와 <주어+동사>의 1형식 절, <명령문>, <주어+동사+목적어>의 3형식 절.
'토트넘 코트 로드야. 걸어, 그냥 걸어, 너희가 옷을 갈아입을 어딘가를 찾아야 해.' 헤르미온느가 숨가쁘게 말했습니다.

Harry did as she asked. They half walked, half ran up the wide dark street thronged with late-night revelers and lined with closed shops, stars twinkling above them. A double-decker bus rumbled by and a group of merry pub-goers ogled them as they passed; Harry and Ron were still wearing dress robes.

Harry did as she asked.
주어 동사 부사절(접속사+주어+동사)
<주어+동사>의 1형식 문장.
해리는 그녀가 하라는 대로 했습니다.

They half walked, half ran up the wide dark street thronged with late-night revelers and lined with closed shops, stars twinkling above them.
주어 / 부사+동사+부사+동사 / 부사구(전치사구) / 부사구(과거분사+전치사구) / 접속사 / 부사구(과거분사+전치사구) / 부사구(명사구+전치사구)
<주어+동사>의 1형식 문장.
그들은 늦은밤의 술꾼들이 떼지어 다니고, 문 닫은 가게들이 줄지어 있고, 그들 위에서 별이 반짝이는 넓고 어두운 거리를 반쯤 걷고, 반쯤 뛰었습니다.

A double-decker bus rumbled by and a group of merry pub-goers ogled them as they passed; Harry and Ron were still wearing dress robes.
주어(명사구) / 동사구 / 접속사 / 주어(명사구) / 동사 / 목적어 / 부사절(접속사+주어+동사) / 주어 / 동사+부사 / 목적어

<주어+동사>의 1형식 절과 <주어+동사+목적어>의 3형식 절; <주어+동사+목적어>의 3형식 절.

2층버스 한 대가 덜커덩거리며 지나가고 즐겁게 술집으로 가는 한 무리가 그들이 지나갈 때 빤히 쳐다보았습니다; 해리와 론은 아직도 정장 예복을 입고 있었던 것입니다.

"Hermione, we haven't got anything to change into," Ron told her, as a young woman burst into raucous giggles at the sight of him.

"Hermione,	we	haven't got	anything	to change into,"
	주어	동사	목적어	목적격보어구

Ron	told	her,	as a young woman burst into raucous giggles
주어	동사	목적어	부사절(접속사+주어+동사구+목적어+

at the sight of him.
부사구)

<주어+동사+목적어+목적격보어>의 5형식 절, <주어+동사+목적어>의 3형식 절.

'헤르미온느, 우리는 갈아입을 것이 아무것도 없어.' 젊은 여자 하나가 그들을 보고 요란한 웃음을 터뜨릴 때 론이 헤르미온느에게 말했습니다.

"Why didn't I make sure I had the Invisibility Cloak with me?" said Harry, inwardly cursing his own stupidity. "All last year I kept it on me and -"

"Why didn't I make sure I had the Invisibility Cloak with
부사 조동사 주어 동사 보어 부사절(주어+동사+목적어+부사구)

me?" said Harry, inwardly cursing his own stupidity.
동사 주어 부사 부사구(현재분사+목적어)

<주어+동사+보어>의 2형식 인용문과 <주어+동사>의 1형식 절.

'내가 왜 투명 망토를 확실하게 가져오지 않았을까?' 해리는 속으로 자신의 어리석음을 한탄하며 말했습니다.

"All last year I kept it on me and –"
부사구 주어 동사 목적어 부사구(전치사구) 접속사

<주어+동사+목적어>의 3형식 문장.

'작년 내내 그것을 지니고 있었는데 그리고 –'

"It's okay. I've got the Cloak, I've got clothes for both of you," said Hermione. "Just try and act naturally until – this will do."

"It's okay, I've got the Cloak, I've got clothes
주어+동사 보어 주어+동사 목적어 주어+동사 목적어

for both of you," said Hermione. "Just try and act naturally
부사구(전치사구) 동사 주어 부사+동사+접속사+동사+부사

until – this will do."
+전치사 – 부사절(주어+동사)

<주어+동사+보어>의 2형식 절, <주어+동사+목적어>의 3형식 절, <주어+동사+목적어>의 3형식 절, <주어+동사>의 1형식 절, 1형식 <명령문>.

'괜찮아. 내가 망토를 가지고 있어. 너희 둘이 갈아입을 옷도 있어. 이게 될 때까지 자연스럽게 행동하도록 해보자.' 헤르미온느가 말했습니다.

She led them down a side street, then into the shelter of a shadowy alleyway.

She led them down a side street, then into the shelter of
주어 동사 목적어 부사구(전치사구) 부사 부사구(전치사구)
a shadowy alleyway.
<주어+동사+목적어>의 3형식 문장.
헤르미온느는 그들을 샛길로 이끌어, 다시 어두운 골목길 으슥한 곳으로 들어갔습니다.

"When you say you've got the Cloak, and clothes. . . ." said Harry, frowning at Hermione, who was carrying nothing except her small beaded bag, in which she was now rummaging.

"When you say you've got the Cloak, and clothes. . . ."
부사 주어 동사 목적절(주어+동사+목적어)
said Harry, frowning at Hermione, who was carrying
동사 주어 부사구[현재분사구+목적어+형용사절{관계대명사+동사+
nothing except her small beaded bag, in which she was
목적어+부사구+ 형용사절(관계대명사+주어+동사
now rummaging.
+부사)}]
<주어+동사+목적어>의 3형식 절, <주어+동사>의 1형식 절.
'그러니까 네 말은 네가 투명 망토와 옷을 가지고 있다는 말이지 …….' 해리는 지금 그 안을 뒤적거리고 있는 작은 구슬핸드백 말고는 아무것도 가지고 있지 않은 헤르미온느를 찡그린 채 바라보며 말했습니다.

"Yes, they're here," said Hermione, and to Harry and Ron's utter astonishment, she pulled out a pair of jeans, a sweatshirt, some maroon socks, and finally the silvery Invisibility Cloak.

"Yes, they're here," said Hermione, and to Harry and
부사 주어+동사 부사 동사 주어 접속사 부사구
Ron's utter astonishment, she pulled out a pair of jeans,
(전치사구) 주어 동사구 목적어(명사구+
a sweatshirt, some maroon socks, and finally the silvery Invisibility
명사구+ 명사구+ 접속사+부사+명사구)
Cloak.
<주어+동사>의 1형식 인용문, <주어+동사>의 1형식 절, <주어+동사+목적어>의 3형식 절.
'그래, 그게 여기 있네.' 헤르미온느가 말했습니다. 그리고 완전히 경악에 빠져 있는 해리와 론에게, 그녀는 청바지 두 벌, 스웨터 한 벌, 밤색 양말 몇 켤레, 그리고 마침내 은색 투명 망토까지 꺼내 놓았습니다.

"How the ruddy hell −?"

"How the ruddy hell −?"
부사 주어(명사구)
<동사>가 없으니 문장이 못 됩니다.
'어떻게 이렇게 기가 막힌 일이 − ?'

"Undetectable Extension Charm." said Hermione. "Tricky, but I think I've done it okay, anyway, I managed to fit everything we need in here." She gave the fragile −looking bag a little shake and it echoed like a cargo hold as a number of heavy objects rolled around inside it. "Oh, damn, that'll be the books," she said, peering into it, "and I had them all stacked by subject. . . . Oh well. . . . Harry you'd better take the Invisibility Cloak. Ron, hurry up and change. . . ."

"Undetectable Extension Charm." said Hermione.
(명사구) 동사 주어
<인용구>와 <주어+동사>의 1형식 문장.
'탐지불능 확장 마법이야.' 헤르미온느가 말했습니다.

"Tricky, but I think I've done it okay,
(형용사) 접속사 주어 동사 목적절(주어+동사+목적어+목적격보어)
anyway, I managed to fit everything
부사 주어 동사 목적어{to부정사+목적어+
we need in here."
목적격보어절(주어+동사+부사구)}
<주어+동사+목적어>의 3형식 절, <주어+동사+목적어>의 3형식 절.
'교묘했어, 그렇지만 내가 잘 해냈다고 생각해. 어쨌든 나는 여기에다 우리가 필요한 모든 것을 넣을 수 있도록 했어.'

She gave the fragile-looking bag a little shake and it
주어 동사 간접목적어 직접목적어 접속사 주어
echoed like a cargo hold as a number of heavy objects
동사 부사구(전치사구) 부사절(접속사+주어+동사구+부사구)
rolled around inside it.
<주어+동사+간접목적어+직접목적어>의 4형식 절과 <주어+동사>의 1형식 절.
그녀가 깨질 것처럼 약해 보이는 핸드백을 조금 흔들자, 마치 많은 무거운 물체들이 그 안에서 굴러다니는 것처럼 화물칸에서 나는 듯한 소리가 울려 퍼졌습니다.

"Oh, damn, that'll be the books," she said, peering into it,
감탄사 주어+동사 보어 주어 동사 부사구

"and I had them all stacked by subject. . . .
접속사 주어 동사 목적어 동사 부사구

Oh well. . . . Harry you'd better take the Invisibility Cloak.
감탄사 주어+동사+부사 목적어

Ron, hurry up and change. . . ."
(명사) 동사구 접속사 동사

<주어+동사+보어>의 2형식 절, <주어+동사>의 1형식 절, <주어+동사+목적어>의 3형식 절, <주어+동사+목적어>의 3형식 절. 1형식 명령문.

'이런 세상에, 책일 거야. 그것들 모두 주제별로 분류해 놓았었는데 ……. 그래 좋아. 해리 너는 투명 망토를 입는 것이 좋겠다. 론, 서둘러 갈아입어 …….' 그녀가 핸드백 속을 들여다보며 말했습니다.

"When did you do all this?" Harry asked as Ron stripped off his robes.

"When did you do all this?"
부사 조동사 주어 본동사 목적어

<주어+동사+목적어>의 3형식 문장.

'너 언제 이걸 다 했어?'

Harry asked as Ron stripped off his robes.
주어 동사 부사절(접속사+주어+동사구+목적어)

<주어+동사>의 1형식 문장.

해리는 론이 예복을 벗는 동안 물었습니다.

"I told you at the Burrow, I've had the essentials packed for days, you know, in case we needed to make a quick getaway. I packed your rucksack this morning, Harry, after you changed, and put it in here. . . . I had just a feeling. . . ."

"I told you at the Burrow, I've had
주어 동사 간접목적어 부사구(전치사구) 직접목적절[주어+동사+
the essentials packed for days, you know, in case
목적어+ 동사+ 부사구+ 부사절+ 부사구{전치사구+
we needed to make a quick getaway.
형용사절(주어+동사구+목적어)}]
<주어+동사+간접목적어+직접목적어>의 4형식 문장.
'내가 버로우에서 너한테 말했잖아, 나는 며칠 동안 필수품들을 쌌다고, 혹시, 우리가 급히 도피할 필요가 있을 때에 대비해서 말이야.

I packed your rucksack this morning, Harry, after
주어 동사 목적어 부사구 부사절(접속사
you changed, and put it in here. . . . I had just
+주어+동사+접속사+동사+목적어+부사구) 주어 동사 부사
a feeling. . . ."
목적어
<주어+동사+목적어>의 3형식 절, <주어+동사+목적어>의 3형식 절.
나는 오늘 아침에 네 배낭을 쌌어, 해리, 넌 옷을 갈아입고, 그것을 여기 집어넣어……, 그냥 어떤 느낌이 있었어…….'

"You're amazing, you are," said Ron, handing her his bundled up robes.

"You're amazing, you are," said Ron, handing
주어+동사 보어 주어 동사 동사 주어 부사구(현재분사+
her his bundled up robes.
간접목적어+직접목적어)
<주어+동사+보어>의 2형식 절, <주어+동사>의 1형식 절.
'너 놀랍구나. 너는.' 론이 그녀에게 포갠 예복을 건네주며 말했습니다.

"Thank you," said Hermione, managing a small smile as she pushed the robes into the bag. "Please, Harry, get that Cloak on!"

"Thank you," said Hermione, managing a small smile
동사 목적어 동사 주어 부사구(현재분사+목적어)
as she pushed the robes into the bag. "Please, Harry,
부사절(접속사+주어+동사+목적어+부사구) 부사
get that Cloak on!"
동사 목적어(명사구) 부사
<(주어)+동사+목적어>의 3형식 절, <주어+동사>의 1형식 절, <동사+목적어>의 명령문.
'고마워. 제발, 해리, 그 망토를 입어!' 헤르미온느는 핸드백에 예복을 밀어 넣으면서 엷은 미소를 띠우고 말했습니다.

Harry threw the Invisibility Cloak around his shoulders and pulled it up over his head, vanishing from sight. He was only just beginning to appreciate what had happened.

Harry threw the Invisibility Cloak around his shoulders and
주어 동사 목적어(명사구) 부사구(전치사구) 접속사

pulled it up over his head, vanishing from sight.
동사구 목적어 (전치사) 부사구 부사구(현재분사+전치사구)

<주어+동사+목적어>의 3형식 절과 <(주어)+동사+목적어>의 3형식 절.

해리가 어깨 위로 투명 망토를 두르고 머리 위로 그것을 끌어당기자, 시야에서 사라졌습니다.

He was only just beginning to appreciate what had happened.
주어 동사구 목적절(관계대명사+동사)

<주어+동사+목적어>의 3형식 문장.

그는 그제서야 비로소 어떤 일이 벌어졌는지를 깨닫기 시작했습니다.

"The others–everything at the wedding–"

"The others–everything at the wedding–"
주어(명사구) 부사구(전치사구)

<동사>가 없으므로 문장이 못 됩니다.

'다른 사람들은–결혼식에 있던 모든 것들은–'

"We can't worry about that now," whispered Hermione. "It's you they are after, Harry, and we'll just put everyone in even more danger by going back."

"We can't worry about that now," whispered Hermione.
주어 동사구 목적어 부사 동사 주어

<주어+동사+목적어>의 3형식 절, <주어+동사>의 1형식 절.

'우리가 지금 그것을 걱정할 수는 없어.' 헤르미온느가 속삭였습니다.

"It is you they are after, Harry, and we will
주어 동사 보어 주어 동사 보어 접속사 주어 조동사

just put everyone in even more danger by going back."
부사 동사 목적어 부사구(전치사구) 부사구(전치사구)

<주어+동사+보어>의 2형식 절 2개, <주어+동사+목적어>의 3형식 절.

'문제는 너야 그 사람들은 나중이야, 해리, 그리고 우리가 돌아간다면 우리는 모든 사람들을 더 위험에 빠트리게 될 거야.'

"She's right," said Ron, she seemed to know that Harry was about to argue, even if he could not see his face. "Most of the Order was there, they'll look after everyone."

"She is right," said Ron, she seemed to know that
주어 동사 보어 동사 주어 주어 동사구 목적절

Harry was about to argue, even if she could not see his face.
(접속사+주어+동사구) 부사절(접속사+주어+동사+목적어)

<주어+동사+보어>의 2형식 절, <주어+동사>의 1형식 절, <주어+동사+목적어>의 3형식 절.

'그녀가 옳아.' 론이 말했습니다. 그녀는 그의 얼굴을 볼 수 없다 해도 해리가 논쟁을 하려는 것을 알 것 같았습니다.

"Most of the Order was there, they'll look after everyone."
주어(명사구) 동사 부사 주어+동사구 목적어

<주어+동사>의 1형식 절, <주어+동사+목적어>의 3형식 절

'기사단의 대부분이 거기 있어. 그들이 다른 사람들을 돌봐줄 거야.'

Harry nodded, then remembered that they could not see him, and said, "Yeah." But he thought of Ginny, and fear bubbled like acid in his stomach.

Harry nodded, then remembered that they could not see
주어 동사 부사 동사 목적절(접속사+주어+동사+
him, and said, "Yeah."
목적어) 접속사 동사 부사
<주어+동사>의 1형식 절, <(주어)+동사+목적어>의 3형식 절, <주어+동사>의 1형식 절.
해리는 고개를 끄덕였으나 그들이 자기를 볼 수 없다는 것을 생각하고는 '그래.' 하고 말했습니다.

But he thought of Ginny, and fear bubbled
접속사 주어 동사구 목적어 접속사 주어 동사
like acid in his stomach.
부사구(전치사구) 부사구(전치사구)
<주어+동사+목적어>의 3형식 절, <주어+동사>의 1형식 절.
그렇지만 그는 지니를 생각하자, 공포가 뱃속에서 마치 위산처럼 부글거렸습니다.

"Come on, I think we ought to keep moving," she said.

"Come on, I think we ought to keep moving," she said.
동사구 주어 동사 목적절(주어+동사구+목적어) 주어 동사
<명령문>, <주어+동사+목적어>의 3형식 절, <주어+동사>의 1형식 절.
'자, 나는 우리가 계속 움직여야만 한다고 생각해.' 그녀가 말했습니다.

2. 고급 독해

앞의 기초 독해에서 비교적 간단한 문장의 구조를 파악했습니다. 그 동안 영어 문장 분석에 어느 정도 자신감이 붙었을 것입니다. 이제부터는 수준 높은 영어 문장을 보며 영어 독해 능력의 완성을 추구해 봅니다.

앞으로 대할 문장은 상당 수준의 독서력을 가진 영어 원어민들이 읽는 문장입니다. 고전 명저, 명시, 베스트셀러 소설, 마지막으로 미국 대통령의 회고록이 이제부터 대할 문장들입니다. 이 이상의 문장은 전문 분야에 대한 문장밖에 없습니다. 미국 대통령의 회고록을 읽을 수준이라면 그 사람의 영어 독해 수준이 어느 정도인지는 더 말할 필요가 없습니다.

영어는 우리와 다른 감정과 사고를 가진 사람들의 언어입니다. 그러나 앞으로의 문장을 읽다보면 사람이 하는 말이란 별 차이가 없다는 느낌도 자주 가지게 됩니다. 그런 느낌을 가지기 시작하면 영어 독해는 거의 끝나는 단계에 들어가게 되는 것입니다.

지금부터 영어 문장 속에 자신을 몰입하여 원어민의 감성으로 작품들을 읽어보도록 합니다. 현장을 상상하며 그들의 생활과 생각을 이해하려는 마음으로 재미있고 아름답고 현실감 있는 문장들을 읽는 것입니다. 때때로 어려움에 부딪치겠지만, 읽고 또 읽고, 이해하려고 노력하고 또 노력하면 안 될 일이 없습니다.

CHINK

The Development of a Pup

Ernest Thompson Seton

칭 크

한 강아지의 성장

어니스트 T. 시튼

1.

Chink was just old enough to think himself a very remarkable little dog; and so he was, but not in the way he fondly imagined. He was neither fierce nor dreadful, strong nor swift, but he was one of the noisiest, best-natured, silliest Pups that ever chewed his master's boots to bits. His master, Bill Aubrey, was an old mountaineer who was camped below Garnet Peak in Yellowstone Park. This is in a very quiet corner, far from the usual line of travel, and Bill's camp, before ours came, would have been a very lonely place but for his companion, this irrepressible, woolly-coated little Dog.

Chink was just old enough to think himself
주어 동사 부사 보어 부사 부사구{to부정사+목적어+
a very remarkable little dog; and so he was, but
목적격보어(명사구)} 접속사 부사 주어 동사 접속사
not in the way he fondly imagined.
부사 부사구{부사구(전치사구)+형용사절(주어+부사+동사)}
칭크는 스스로를 아주 괜찮은 작은 개라고 생각할 만큼 자랐습니다; 그렇기는 했지만, 그가 즐겁게 상상하는 만큼은 아니었습니다.

He was neither fierce nor dreadful, strong nor swift, but
주어 동사 보어 접속사
he was one of the noisiest, best-natured, silliest Pups
주어 동사 보어{명사구+
that ever chewed his master's boots to bits.
형용사절(관계대명사+부사+동사+목적어+부사구)}
그는 사납거나 무섭지도 않았으며, 강하거나 빠르지도 않았지만, 아주 시끄럽고, 천성이 좋고, 주인의 장화를 잘게 물어뜯는 어리석은 한 마리 강아지였습니다.

His master, Bill Aubrey, was an old mountaineer who
주어 동사 보어{명사구+형용사절(관계대명사+
was camped below Garnet Peak in Yellowstone Park.
동사+ 부사구(전치사구)+ 부사구(전치사구)}
그의 주인인 빌 오브리는 옐로스톤 공원의 가렛봉 아래에 캠프를 치고 사는 늙은 산사람이었습니다.

This is in a very quiet corner, far from the usual line of travel,
주어 동사 부사구(전치사구) 부사+부사구(전치사구)
and Bill's camp, before ours came, would have been a very
접속사 주어 부사구(전치사구) 동사 보어
lonely place but for his companion, this irrepressible,
(명사구) 접속사 부사구(전치사구+명사구)
woolly-coated little Dog.
이곳은 여행의 일반 통행로에서 멀리 떨어진 아주 조용한 구석에 있었으며, 빌의 캠프는, 우리가 오기 전에는, 그의 동료인 이 참을성 없는 털복숭이 작은 개밖에 없는 아주 한적한 곳이었습니다.

Chink was never still for five minutes. Indeed, he would do anything he was told to do except keep still. He was always trying to do some absurd and impossible thing, or if he did attempt the possible, he usually spoiled his best effort by his way of going about it. He once spent a whole morning trying to run up a tall, straight pine-tree in whose branches was a snickering Pine Squirrel.

Chink was never still for five minutes. Indeed, he would
주어 동사 보어 부사구(전치사구) 부사 주어 동사
do anything he was told to do except keep still.
목적어 목적격보어절{주어+동사+목적어+부사구(전치사구)}
칭크는 결코 5분도 가만히 있지 못했습니다. 사실, 그는 가만히 있으라는 것 빼고는 하라는 것은 다 했습니다.

He was always trying to do some absurd and impossible
주어 동사구 부사 목적어(명사구)
thing, or if he did attempt the possible, he usually
접속사 부사절(접속사+주어+동사+목적어) 주어 부사
spoiled his best effort by his way of going about it.
동사 목적어 부사구(전치사구+전치사구)
그는 항상 터무니없거나 불가능한 일을 해보려고 했고, 가능한 일을 시도할 때면 그의 방식대로 하려다가 늘 최상의 노력을 망쳐 버렸습니다.

He once spent a whole morning trying to run up a tall, straight
주어 부사 동사 목적어 부사구{현재분사구+부사구+
pine-tree in whose branches was a snickering Pine Squirrel.
형용사절(부사구+동사+주어)}
그는 한번은 그 가지에서 킥킥대는 소나무 다람쥐가 있는 키고 크고 곧은 소나무에 뛰어오르려고 아침 시간을 모두 헛되이 보낸 적이 있었습니다.

The darling ambition of his life for some weeks was to catch one of the Picket-pin Gophers that swarmed on the prairie about the camp. These little animals have a trick of sitting bolt upright on their hind legs, with their paws held close in, so that at a distance they look exactly like picket-pins. Often when we went out to picket our horses for the night we would go toward a Gopher, thinking it was a picket-pin already driven in, and would find out the mistake only when it dived into the ground with a defiant chirrup.

The darling ambition of his life for some weeks was to catch
주어(명사구) 부사구(전치사구) 동사 보어(부정사
one of the Picket-pin Gophers that swarmed on the prairie about
+목적어+형용사절(관계대명사+동사+부사구+부사구)
the camp.
몇 주일 동안 그의 생활에서 깜찍스러운 야망은 캠프 주변 초원에 무리지어 사는 말뚝 고퍼 한 마리를 잡는 것이었습니다.

These little animals have a trick of sitting bolt upright on their
주어 동사 목적어(명사구+ 부사+부사+ 전치사구+
hind legs, with their paws held close in, so that at a distance
전치사구+형용사+부사+부사) 접속사 부사구(전치사구)
they look exactly like picket-pins.
주어 동사구 부사 부사구(전치사구)
이 작은 동물은 앞발은 몸 안쪽에 바싹 붙이고, 뒷발로 오뚝하니 서듯이 앉는 재주가 있었습니다. 그래서 멀리서 보면 진짜 말뚝처럼 보였습니다.

Often when we went out to picket our horses for the night
부사 부사절{접속사+주어+동사구+목적어(to부정사+목적어+부사구)}
we would go toward a Gopher, thinking it was a picket-pin
주어 동사 부사구(전치사구) 부사구{현재분사+목적절(주어+
already driven in, and would find out the mistake
동사+보어+부사+형용사+부사) 접속사 동사구 목적어

only when it dived into the ground with a defiant chirrup.
부사 부사절(접속사+주어+동사+부사구+부사구)
가끔 우리가 밤에 말을 말뚝에 묶어두려고 밖으로 나갈 때, 우리는 그것들이 벌써부터 박혀 있던 말뚝이라고 생각하면서 고퍼를 향해 가기도 했습니다. 그리고 그것이 딱하다는 듯이 혀를 차는 소리를 내며 땅속으로 뛰어 들어갈 때에야 우리는 잘못을 깨닫곤 했습니다.

Chink had determined to catch one of these Gophers the very first day he came into the valley. Of course he went about it in his own original way, doing everything wrong end first, as usual. This, his master said, was due to a streak of Irish in his makeup. So Chink would begin a most elaborate stalk a quarter of a mile from the Gopher. After crawling on his breast from tussock to tussock for a hundred yards or so, the nervous strain became too great, and Chink, getting too much exited to crawl, would rise on his feet and walk straight toward the Gopher, which would now be sitting up by its hole, fully alive to the situation.

Chink had determined to catch one of these Gophers the very first day he came into the valley.
주어 동사 목적어(to부정사+목적어) 부사구
{명사구+형용사절(주어+동사+부사구)}
칭크는 이 계곡으로 들어온 바로 그 첫날 이 고퍼들 중에서 한 마리를 잡겠다고 결심을 했던 것입니다.

Of course he went about it in his own original way,
부사구 주어 동사 부사구 부사구(전치사구)
doing everything wrong end first, as usual.
부사구(현재분사+목적어+목적격보어+부사) 부사구
물론 그는, 전과 같이, 모든 것이 처음부터 잘못 되는 결과를 가져오는 그의 원래 방식대로 그것을 시도했습니다.

This, his master said, was due to a streak of Irish in his makeup.
주어 부사절 동사 보어(형용사+부사구+부사구)
이것은, 그의 주인은, 그의 혈통 속에는 아일랜드의 피가 흐르기 때문이라고 말했습니다.

So Chink would begin a most elaborate stalk a quarter of
접속사 주어 동사 목적어 부사구(명사구
a mile from the Gopher.
+전치사구)
그래서 칭크는 고퍼로부터 1/4 마일 떨어진 곳에서부터 아주 신중한 접근을 시작했습니다.

After crawling on his breast from tussock to tussock for a hundred
부사구(전치사구+전치사구+전치사구+전치사구+전치사구)
yards or so, the nervous strain became too great, and
접속사 부사 부사절(주어+동사+부사+보어) 접속사
Chink, getting too much exited to crawl, would rise on his feet
주어 부사구(현재분사+부사+부사+보어) 동사 부사구
and walk straight toward the Gopher, which would now be
접속사 동사 부사구{부사+전치사구+형용사절(관계대명사+동사구+
sitting up by its hole, fully alive to the situation.
부사+부사구+ 부사+보어+부사구)}

100야드 정도 덤불에서 덤불로 배를 깔고 기어가고 나니까, 신경의 긴장이 과도해졌고, 칭크는 기어가는 것에 너무 많이 흥분되어, 발을 들고 벌떡 일어나 고퍼를 향해 곧장 걸어갔습니다. 고퍼는 이제 모든 상황을 감지한 채 자기의 구멍 옆에 앉아 있었습니다.

After a minute or two of this very open approach, Chink's excitement would over-power all caution. He would begin running, and at the last, just as he should have done his finest stalking, he would go bounding and barking toward the Gopher, which would sit like a peg of wood till the proper moment, then dive below with a derisive chirrup, throwing with its hind feet a lot of sand right into Chink's eager, open mouth.

After a minute or two of this very open approach,
부사구(전치사+명사구)
Chink's excitement / would over-power / all caution.
주어 / 동사 / 목적어
이렇게 명백히 드러낸 접근이 1~2분 지나면, 칭크의 흥분은 조심성을 완전히 잃어버리게 됩니다.

He / would begin / running, / and / at the last, / just
주어 / 동사 / 목적어 / 접속사 / 부사구 / 부사
as he should have done his finest stalking, / he / would go
부사절(접속사+주어+동사+목적어) / 주어 / 동사
bounding and barking toward the Gopher, which would sit
목적어{현재분사+접속사+현재분사+부사구+형용사절(관계대명사+동사

like a peg of wood till the proper moment, then dive below
+부사구 +부사구+ 접속사+동사+부사+
with a derisive chirrup, throwing with its hind feet a lot of sand
부사구+ 부사구(현재분사+부사구+ 목적어+
right into Chink's eager, open mouth.
부사+부사구)}
그는 달리기 시작하고, 마침내, 최상의 접근을 해야 할 때라고 생각하면서 고퍼를 향해 껑충껑충 뛰며 짖어댑니다. 고퍼는 적당한 순간이 올 때까지 나무말뚝처럼 앉아 있다가 혀를 차는 소리를 내며 아래로 뛰어 내려가서 뒷발로 칭크의 간절하게 벌린 입속으로 모래를 차 넣습니다.

Day after day this went on with level sameness, and still Chink did not give up. Perseverance, he seemed to believe, must surely win in the end, as indeed it did. For one day he made an unusually elaborate stalk after an unusually fine Gopher, carried out all his absurd tactics, finishing with the grand, boisterous charge, and actually caught his victim; but this time it happened to be a wooden picket-pin. Anyone who doubts that a Dog knows when he has made a fool of himself should have seen Chink that day as he sheepishly sneaked out of sight behind the tent.

Day after day this went on with level sameness, and still
부사구 부사절(주어+동사구+부사구) 접속사 부사
Chink did not give up.
주어 동사구
날이면 날마다 이런 일이 똑같이 거듭 되었지만, 그러나 칭크는 결코 포기하지 않았습니다.

Perseverance, he seemed to believe, must surely win in the
주어 부사절(주어+동사구) 조동사+부사+동사 부사구
end, as indeed it did.
부사절(접속사+부사+주어+동사)

인내란, 그가 믿는 것처럼, 마침내 그것이 이루어졌듯이, 결국은 반드시 승리하는 법입니다.

For one day he made an unusually elaborate stalk after an
부사구 주어 동사 목적어(명사구) 부사구
unusually fine Gopher, carried out all his absurd tactics,
(전치사구) 동사구 목적어(명사구)
finishing with the grand, boisterous charge, and actually
부사구(현재분사+부사구) 접속사 부사
caught his victim; but this time it happened to be
동사 목적어 접속사 부사구 주어 동사구
a wooden picket-pin.
보어

어느 날 그는 특별히 멋진 고퍼 한 마리를 향해 지극히 열정어린 접근을 하고, 우스꽝스러운 전술을 실행하여, 거대하고 떠들썩한 공격 끝에, 드디어 그의 희생물을 잡았습니다; 그러나 이번에 그가 잡은 것은 나무로 만든 말뚝이었음이 밝혀졌습니다.

Anyone who doubts that a Dog knows
주어[대명사+형용사절{관계대명사+동사+목적절(접속사+주어+동사+
when he has made a fool of himself should have seen Chink
부사절<접속사+주어+동사+목적어>)}] 동사 목적어
that day as he sheepishly sneaked out of sight behind the tent.
부사 부사절(접속사+주어+부사+동사구+부사구)

누군가 한 마리 개가 스스로를 바보가 되었다는 것을 알았을 때를 궁금하게 여겨 그 날 텐트 뒤 안 보이는 곳에 얌전하게 숨어서 칭크를 살펴보았음에 틀림없었습니다.

But failure had no lasting effect on Chink. There was a streak of grit as well as Irish in him that carried him through every reverse, and nothing could dash his good nature. He was into everything with the maximum of energy and the minimum of discretion, delighted as long as he could be always up and doing.

But failure had no lasting effect on Chink.
접속사 주어 동사 목적어(명사구+부사구)
그렇지만 실패란 칭크에게 오래 효과를 미치지 못 했습니다.

There was a streak of grit as well as Irish in him
주어 동사 보어{명사구+부사+부사+접속사+명사+전치사구+
that carried him through every reverse, and nothing
형용사절(관계대명사+동사+목적어+전치사구)} 접속사 주어
could dash his good nature.
동사 목적어
그의 몸속에는 끈질김과 함께 모든 일을 뒤엎는 아일랜드의 피가 흐르고 있었으며, 그리고 어떤 것도 그의 좋은 천성을 꺾을 수가 없었습니다.

He was into everything with the maximum of energy and the
주어 동사 보어(전치사구) 부사구(전치사+명사구+ 접속사+
minimum of discretion, delighted as long as he could be
명사구) 보어{형용사+부사구+부사절(접속사+주어+
always up and doing.
동사+부사+보어)}
그는 최대한의 활력과 최소한의 판단력으로 모든 일에 달려들었으며, 그가 할 수 있는 동안은 항상 열심히 행동하며 즐거워했습니다.

Every passing wagon and horseman and grazing Calf had to be chivvied, and if the Cat from the guard-house strayed by, Chink felt that it was a solemn duty he owed to the soldiers, the Cat, and himself to chase her home at frightful speed. He would dash twenty times a day after an old hat that Bill used deliberately to throw into a Wasps' nest with the order, "Fetch it!"

Every passing wagon and horseman and grazing Calf had to be
주어(명사구+ 접속사+명사+ 접속사+명사구) 동사구
chivvied, and if the Cat from the guard-house strayed by,
보어 접속사 부사절(접속사+주어+형용사구+ 동사구)
Chink felt that it was a solemn duty he owed to the soldiers,
주어 동사 목적절[접속사+주어+동사+보어+형용사절{주어+동사+
the Cat, and himself to chase her home at frightful speed.
부사구+ 목적어(to부정사+목적어+부사+부사구)}]
모든 지나가는 마차와 말탄 사람과 풀뜯는 송아지들은 괴로움을 당해야했고, 감시 초소에서 나온 고양이가 주변에서 배회하면, 칭크는 무시무시한 속도로 고양이를 집까지 쫓아가라는 엄격한 명령이 군인, 고양이 그리고 자기 자신에게 부여된 것으로 알았습니다.

He would dash twenty times a day after an old hat that Bill
주어 동사 목적어 부사 부사구{전치사구+형용사절
used deliberately to throw into a Wasps' nest with the order,
(관계대명사+주어+동사구+부사+부사구+ 부사구)}
"Fetch it!"
그는 빌이 일부러 늘 하던 대로 '물어 와.' 하는 명령과 함께 말벌집에 던져지는 낡은 모자를 잡으려고 하루에 스무 번이나 달려든 적도 있었습니다.

It took time, but countless disasters began to tell. Chink slowly realized that there were long whips and big, fierce Dogs with wagons; that Horses have teeth in their heels; that Calves have relatives with clubs on their heads; that a slow Cat may turn out a Skunk; and that Wasps are not Butterflies. Yes, it took an uncommonly long time, but it all told in the end. Chink began to develop a grain—a little one, but a living, growing grain—of good Dog sense.

It took time, / but / countless disasters / began to tell.
부사절 / 접속사 / 주어(명사구) / 동사구
시간이 지나면서, 셀 수 없는 재앙들이 이야기되기 시작했습니다.

Chink / slowly / realized / that there were long whips and big, fierce Dogs with wagons; / that Horses have teeth in their heels; / that Calves have relatives with clubs on their heads; / that a slow Cat may turn out a Skunk; / and that Wasps are not Butterflies.
주어 / 부사 / 동사 / 목적절(접속사+주어+동사+보어+부사구) / 목적절(접속사+주어+동사+목적어+부사구) / 목적절(접속사+주어+동사+목적어+부사구+부사구) / 목적절(접속사+주어+동사구+보어) / 접속사+목적절(접속사+주어+동사+보어)
칭크는 마차에는 긴 채찍과 크고 사나운 개들이 있다는 것을; 말들은 발뒤꿈치에도 이빨이 있다는 것을; 송아지에게는 머리에 곤봉이 달린 친척들이 있다는 것을; 느린 고양이는 스컹크로 변할 수 있다는 것을; 그리고 말벌들은 나비가 아니라는 것을 서서히 깨달았습니다.

Yes, it took an uncommonly long time, but it all
부사 주어 동사 목적어(명사구) 접속사 주어
told in the end.
동사 부사구(전치사구)
그렇습니다, 비상식적으로 오랜 시간이 걸리기는 했지만, 그 모든 것들은 결국은 말해주었습니다.

Chink began to develop a grain–a little one, but a living,
주어 동사구 목적어(명사구–명사구)
growing grain–of good Dog sense.
칭크는 좋은 개로서의 본성적인 자질–작지만 생동감 있고 자라나는 자질–을 성장시키기 시작했던 것입니다.

2.

It seemed as if all his blunders were the rough, unsymmetrical stones of an arch, and the keystone was added, the structure, his character, made strong and complete, by his crowning blunder in the matter of a large Coyote.

It seemed as if all his blunders were the rough, unsymmetrical
주어 동사 보어절{부사+접속사+주어+동사+보어(명사구)}
stones of an arch, and the keystone was added,
접속사 부사절(주어+동사)
the structure, his character, made strong and complete,
주어 동사 보어

by his crowning blunder　in the matter of a large Coyote.
부사구(전치사구)　부사구(전치사구)

모든 그의 실수들은 마치 거칠고, 불균형한 아치의 돌들 같았지만, 그러나 쐐기돌이 박히자, 그 구조물, 즉 그의 특성은 커다란 코요테 사건에 대처한 그의 영광스런 실수에 의해 강하고 완벽하게 나타났습니다.

This Coyote lived not far from our camp, and he evidently realized, as all the animals there do, that no man is allowed to shoot, trap, hunt, or in any way molest the wild creatures in the Park; above all, in this part, close to the military patrol, with soldiers always on watch. Secure in the knowledge of this, the Coyote used to come about the camp each night for scraps. At first I found only his tracks in the dust, as though he had circled the camp but feared to come very near. Then we began to hear his weird evening song just after sundown, or about sun-up. At length his track was plain in the dust about the scrap-bucket each morning when I went out to learn from the trail what animals had been there during the night. Then growing bolder, he came about the camp occasionally in the daytime. Shyly at first, but with increasing assurance, as he was satisfied of his immunity, until finally he was not only there every night, but seemed to hang around nearly all day, sneaking in to steal whatever was eatable, or sitting in plain view on some rising ground at a distance.

This Coyote lived not far from our camp, and he
주어 동사 부사 부사구 접속사 주어

evidently realized, as all the animals there do, that no man
부사 동사 부사절(접속사+주어+부사+동사) 목적절{접속사

is allowed to shoot, trap, hunt, or in any way molest the wild
+주어+동사+목적어(to부정사+접속사+부사구+to부정사+목적어+

creatures in the Park; above all, in this part, close to the military
부사구)}; 부사구+ 부사구+ 부사+부사구+

patrol, with soldiers always on watch.
부사구+부사+부사구

그 코요테는 우리의 캠프에서 멀지 않은 곳에 살았으며, 그는 거기에 사는 다른 모든 동물들처럼, 누구도 이 공원 안에서 야생동물에 대해 총을 쏘거나 덫을 놓거나 사냥을 하거나, 아니면 어떤 방법으로든지 학대하는 것이 금지되어 있다는 것과; 무엇보다도 이 지역은 군인들이 항상 감시하는 군사 순찰 구역에 아주 가깝다는 것을 분명히 알고 있었습니다.

Secure in the knowledge of this, the Coyote used to come
부사구(형용사+부사구) 주어 동사구

about the camp each night for scraps.
부사구 부사구 부사구

이런 사실로 안전을 보장받은 코요테는 매일 밤 음식찌꺼기를 찾아 캠프 근처로 다가오곤 했습니다.

At first I found only his tracks in the dust, as though
부사구 주어 동사 부사 목적어 부사구 부사절(부사+

he had circled the camp but feared to come very near.
접속사+주어+동사+목적어+접속사+동사+목적어+부사구)

처음에 코요테가 아주 가까이 오는 것을 두려워하여 캠프 주위에서 맴돌기만 했던 그의 발자국을 나는 먼지 속에서 발견했을 뿐이었습니다.

Then we began to hear his weird evening song just after
부사 주어 동사구 목적어(명사구+ 부사+부사구+
sundown, or about sun-up.
접속사+부사구)
그리고 우리는 해가 진 바로 다음의 그의 섬뜩한 밤노래나 해뜰 무렵의 노래를 듣기 시작했습니다.

At length his track was plain in the dust about the scrap-
부사구 주어 동사 보어 부사구 부사구
bucket each morning when I went out to learn from the trail
부사구 부사절[접속사+주어+동사구+목적어{to부정사
what animals had been there during the night.
+부사구+목적절(접속사+주어+동사+부사+부사구)}]
조금 지나자 그의 자취는 내가 매일 아침 간밤에 그곳에 어떤 동물이 왔다갔는지 흔적을 확인하기 위해 나갈 때 음식 찌꺼기통 근처의 먼지에서 늘상 볼 수 있는 것이 되었습니다.

Then growing bolder, he came about the camp
부사구(접속사+현재분사+보어) 주어 동사 부사구
occasionally in the daytime.
부사 부사구
점점 대담해져서, 코요테는 때때로 낮에도 캠프 주변에 나타났습니다.

Shyly at first, but with increasing assurance, as
부사+부사구 접속사 부사구(전치사구) 부사절(접속사+
he was satisfied of his immunity, until finally he was
주어+동사+부사구) 부사 부사 주어 동사
not only there every night, but seemed to hang around
접속사 부사 부사구 접속사 동사구 부사구

nearly all day, sneaking in to steal whatever was eatable,
(전치사구) + 부사구{현재분사구+목적어(to부정사+목적절)} +
or sitting in plain view on some rising ground at a distance.
접속사+부사구(현재분사+부사구+부사구+ 부사구)
처음에는 조심스러웠으나, 점차 확신이 들자, 그는 자신의 특권에 만족해하며, 마침내 그곳에 매일 밤뿐만 아니라, 거의 하루 종일 어슬렁거리며, 무엇이든 먹을 것을 훔치려고 넘보거나, 또는 거리를 두고 조금 높은 곳에서 두루 살펴보며 앉아 있었습니다.

One morning, as he sat on a bank some fifty yards away, one of us, in a spirit of mischief, said to Chink; "Chink, do you see that Coyote over there grinning at you? Go and chase him out of that."

One morning, as he sat on a bank some fifty yards away,
부사구 부사절(접속사+주어+동사+부사구)
one of us, in a spirit of mischief, said to Chink; "Chink,
주어 부사구(전치사구) 동사 부사구 주어
do you see that Coyote over there grinning at you?
조동사+주어+동사 목적어 부사구 부사구(현재분사구+목적어)
Go and chase him out of that."
동사구 목적어 (전치사) 부사구
어느 날 아침, 코요테가 50야드쯤 떨어져 있는 둑에 앉아 있을 때, 우리 중 한 사람이 짓궂은 생각으로 칭크에게 말했습니다; '칭크야, 저기서 너를 비웃고 있는 코요테 보이지? 가서 그 놈을 쫓아버려.'

Chink always did as he was told, and burning to distinguish himself, he dashed after the Coyote, who loped lightly away, and there was a pretty good race for a quarter of a mile; but it was nothing to the race which began when the Coyote turn on his pursuer.

Chink always did as he was told, and burning to distinguish
부사절(주어+부사+동사+부사절) 접속사 부사구(현재분사+to부정사
himself, he dashed after the Coyote, who loped lightly away,
+목적어) 주어 동사 부사구(전치사구+형용사절)
and there was a pretty good race for a quarter of a mile;
접속사 주어 동사 보어 부사구(전치사구)
but it was nothing to the race which
접속사 주어 동사 보어 부사구[부사구+형용사절{관계대명사+
began when the Coyote turn on his pursuer.
동사+ 부사절(접속사+주어+동사+부사구)}]
칭크는 항상 들은 대로 행동했으며, 자신을 돋보이고 싶은 마음에 불타, 성큼성큼 걸어가는 코요테를 향해 달려들어 4분의 1마일 정도는 상당히 괜찮은 경주가 벌어졌습니다; 그러나 코요테가 자신의 추격자를 향해 돌아섰을 때 시작된 경주에 비하면 그것은 아무것도 아니었습니다.

Chink realized all at once that he had been lured into the power of a Tartar, and strained every muscle to get back to camp. The Coyote was swifter, and soon overtook the dog, nipping him first on one side, then on the other, with manifest glee, as if he were cracking a series of good jokes at Chink's expense.

Chink realized all at once that he had been lured into the
주어 동사 부사 부사구 목적절(접속사+주어+동사+부사구)
power of a Tartar, and strained every muscle to get back
접속사 동사 목적어 부사구+
to camp.
부사구
칭크는 자신이 잔혹한 타타르의 힘에 빠져들었다는 것을 곧바로 확실히 깨달았고, 캠프로 돌아오기 위해 모든 근육을 긴장시켰습니다.

The Coyote was swifter, and soon overtook the dog,
주어 동사 보어 접속사 부사 동사 목적어
nipping him first on one side, then on the other, with manifest
부사구(현재분사+목적어+부사+부사구+부사+부사구) 부사구(전치사
glee, as if he were cracking a series of good jokes at Chink's
구) 부사절(부사+접속사+주어+동사+목적어+부사구)
expense.
코요테는 더 빨랐으며, 곧 개를 따라잡아, 처음에는 이쪽을 물어뜯고 다음에는 저쪽을 물어뜯어, 명백한 기쁨을 느끼며, 마치 그는 칭크의 고통을 통해 일련의 흥미로운 놀이를 즐기고 있는 것 같았습니다.

Chink yelped and howled and ran his hardest, but had no respite from his tormentor till he dashed right into camp; and we, I am afraid, laughed with the Coyote, and the Puppy did not get the sympathy he deserved for his trouble in doing as he was told.

Chink yelped and howled and ran his hardest, but had
주어 동사 목적어 접속사 동사
no respite from his tormentor till he dashed right into camp;
목적어 부사구 부사절(접속사+주어+동사+부사구)
and we, I am afraid, laughed with the Coyote, and
접속사 주어 부사절 동사 부사구 접속사
the Puppy did not get the sympathy he deserved for his
주어 동사 목적어 목적격보어절(주어+동사구+
trouble in doing as he was told.
목적어+부사구+부사절)

칭크는 극심한 고통에 깽깽거리고 신음하고 도망 다녔지만, 캠프로 겨우 뛰어 들어가기 전까지는 가해자로부터 피할 시간이 없었습니다; 그리고 우리는, 나는 걱정이 됐지만, 코요테와 함께 웃었고, 그 강아지는 시키는 대로 행동함으로써 일어난 고난에 대해 당연히 받아야 할 동정을 받지 못 했습니다.

One more experience like this, on a smaller scale, was enough to dampen even Chink's enthusiasm. He decided to let that Coyote much alone in future.

One more experience like this, on a smaller scale, was
주어(명사구+형용사구) 부사구(전치사구) 동사
enough to dampen even Chink's enthusiasm. He decided
보어(형용사+to부정사+부사+목적어) 주어 동사
to let that Coyote much alone in future.
목적어(to부정사+목적어+부사+형용사+부사구)

작은 규모였지만 이러한 또 하나의 경험은 칭크의 열정을 꺾기에 충분했습니다. 칭크는 앞으로 그 코요테가 혼자 있게 내버려 두기로 결심했습니다.

Not so the Coyote, however. He had discovered a new and delightful amusement. He came daily now and hung about the camp, knowing perfectly well that no one would dare to shoot him. Indeed, the lock of every gun in the party was sealed up by the government officials, and soldiers were everywhere on watch to enforce the laws.

Not so the Coyote, however. He had discovered a new and delightful amusement.
부사구 / 부사 / 주어 / 동사 / 목적어 (명사구)

그렇지만 코요테는 그렇지 않았습니다. 코요테는 새롭고 즐거운 놀이를 발견했던 것입니다.

He came daily now and hung about the camp,
주어 / 동사 / 부사 / 부사 / 접속사 / 동사 / 부사구(전치사구)

knowing perfectly well that no one would dare to shoot him.
부사구{현재분사+부사+부사+목적절(접속사+주어+동사구+목적어)}

그는 누구도 감히 자기에게 총을 쏠 수 없다는 것을 너무나 잘 알고 있었기 때문에, 이제는 매일 캠프 주위로 와서 기웃거렸습니다.

Indeed, the lock of every gun in the party was sealed up
부사 / 주어 / 부사구 / 동사구

by the government officials, and soldiers were everywhere
부사구(전치사구) / 접속사 / 주어 / 동사 / 부사

on watch to enforce the laws.
부사구{전치사구+형용사구(to부정사+목적어)}

사실, 그곳의 모든 총의 잠금장치는 정부 관리들에 의해 봉인되어 있었고, 군인들이 법집행을 감시하기 위해 곳곳에서 근무했습니다.

Thenceforth that Coyote lay in wait for poor Chink, and sought every opportunity to tease him. The little Dog learned that if he went a hundred yards from camp alone, the Coyote would go after him, and bite and chase him right back to his master's tent.

Thenceforth / that Coyote / lay / in wait for / poor Chink, / and
부사 / 주어 / 동사 / 부사구 / 목적어 / 접속사

sought / every opportunity to tease him.
동사 / 목적어(명사구+형용사구)

그리하여 코요테는 불쌍한 칭크를 기다리며 납짝 엎드려 있었고, 그를 괴롭힐 기회를 호시탐탐 노렸습니다.

The little Dog / learned / that if he went
주어 / 동사 / 목적절{접속사+부사절(접속사+주어+동사+

a hundred yards from camp alone, the Coyote would go after him,
목적어+ 부사구+ 부사) + 주어+ 동사구+ 목적어

and bite and chase him right back to his master's tent.
+접속사+동사+접속사+동사+목적어+부사구+부사구(전치사구)}

그 작은 개는 만일 그가 캠프로부터 100야드 떨어진 곳에 혼자 나가면, 그 코요테는 자기가 주인의 텐트로 돌아올 때까지 덮쳐서 물어뜯고 쫓아다닌다는 것을 깨달았습니다.

Day after day this went on, until at last Chink's life was made a misery to him. He did not dare now to go fifty yards from the tent alone; and even if he went with us when we rode, that fierce and impudent Coyote was sure to turn up and come along, trotting close beside or behind, watching for a chance to worry poor Chink and spoiling all his pleasure in the ramble, but keeping just out of reach of our quirts, or a little farther off when we stopped to pick up some stones.

Day after day this went on, until at last Chink's life was made
부사절(부사구+주어+동사구) 부사구 주어 동사
a misery to him.
보어(명사+전치사구)
낮이면 낮마다 이 일은 계속되었고, 마침내 칭크의 삶은 비참한 신세가 되고 말았습니다.

He did not dare now to go fifty yards from the tent alone; and
주어 동사+부사 목적어(to부정사+목적어+부사구) 접속사
even if he went with us when we rode, that fierce and
부사절(부사+접속사+주어+동사+부사구+부사절) 주어(명사구)
impudent Coyote was sure to turn up and come along,
동사 보어(형용사+부사구+접속사+부사구)
trotting close beside or behind, watching for a chance to worry
부사구(현재분사+부사구) 부사구(현재분사구+목적어+목적격보
poor Chink and spoiling all his pleasure in the ramble, but
어)+ 접속사+부사구(현재분사+목적어+부사구)+ 접속사
keeping just out of reach of our quirts, or a little farther off when
+부사구{현재분사+부사구+부사구+ 접속사+부사구+ 부사절

we stopped to pick up some stones.

(접속사+주어+동사구+목적어))}

이제 칭크는 혼자서는 텐트로부터 50야드도 감히 나갈 수 없었습니다; 칭크가 말을 탄 우리와 함께 나갈 때조차도, 그 사납고 뻔뻔한 코요테는 반드시 나타나서 따라와, 바로 옆이나 뒤에서 성큼성큼 뛰며 불쌍한 칭크를 겁줄 기회를 엿보므로, 그의 산책의 즐거움은 엉망이 되었습니다. 오로지 우리의 말채찍을 피하거나 우리가 돌을 집어던지기 위해 멈추어 설 때만 멀리 떨어져 있었습니다.

One day Aubrey moved his camp a mile up-stream, and we saw less of the Coyote, for the reason that he moved a mile up-stream too, and, like all bullies who are unopposed, grew more insolent and tyrannical every day, until poor little Chink's life became at last a veritable reign of terror, at which his master merely laughed.

One day　Aubrey　moved　his camp　a mile up-stream,　and

부사　주어　동사　목적어　부사구　접속사

we　saw　less of the Coyote,　for the reason that he

주어　동사　목적어　부사구[부사구+형용사절{접속사+주어

moved a mile up-stream too, and, like all bullies who are

+동사+부사구+　부사+접속사+부사구+형용사절(관계대명사+

unopposed, grew more insolent and tyrannical every day,

동사+보어)+동사+보어+　부사+

until poor little Chink's life became at last a veritable reign of terror,

부사절(접속사+주어+　동사+　부사구+보어<명사구+

at which his master merely laughed.

형용사절「관계대명사+주어+부사+동사구」>)}]

어느 날 오브리는 캠프를 1마일 상류로 옮겼고, 우리도 코요테를 덜 보게 되었는데, 그 까닭은 그도 1마일 상류로 옮겼기 때문이었습니다. 그리고 적수가 없는 모든 난폭자들처럼 그도 나날이 더욱 포악하고 위협적이 되었습니다. 불쌍한 작은 칭크의 삶은 마침내 진정한 공포의 시대를 맞이했으며, 그의 주인은 그에 대해 그저 비웃기만 했습니다.

Aubrey gave it out that he had moved camp to get better Horse-feed. It soon turned out, however, that he wanted to be alone while he enjoyed the contents of a whisky-flask that he had obtained somewhere. But one flask was a mere starter for him. The second day he mounted his Horse, said, "Chink, you watch the tent," and rode away over the mountains to the nearest saloon, leaving Chink obediently curled up on some sacking.

Aubrey gave it out that he had moved camp
주어 동사구 목적어 (전치사) 목적격보어절{접속사+주어+동사+
to get better Horse-feed.
목적어+부사구(to부정사+목적어)}
오브리는 더 좋은 말먹이를 구하기 위해 캠프를 옮겼다고 했습니다.

It soon turned out, however, that he wanted to be
가주어 부사 동사구 부사 주어절[접속사+주어+동사구+
alone while he enjoyed the contents of a whisky-flask that
보어+부사절{접속사+주어+동사+목적어(명사구)+목적격보어절(관계대
he had obtained somewhere.
명사+주어+동사+부사)}]

그러나 그가 어디선가 얻은 위스키병 속의 내용물을 즐기려고 혼자 있기 위해서라는 것은 곧 들통이 났습니다.

But / one flask / was / a mere starter for him.
접속사 / 주어 / 동사 / 보어(명사구+형용사구)
그러나 한 병은 그에게 있어서 단지 시작에 불과했습니다.

The second day / he mounted his Horse, / said, / "Chink, you watch the tent," / and / rode away / over the mountains / to the nearest saloon, / leaving Chink obediently curled up on some sacking.
부사 / 주어 / 동사 / 목적절(주어+동사+목적어) / 접속사 / 동사구 / 부사구 / 부사구 / 부사구(현재분사+목적어+부사+목적격보어+부사구)
다음 날, 말등에 오른 그는 '칭크야, 텐트를 지켜라.' 라고 말하고, 자루 위에 얌전하게 웅크린 칭크를 남겨둔 채 산을 넘어 가장 가까운 술집으로 달려가버렸습니다.

Annabel Lee

Edgar Allan Poe

애너벨 리

에드거 앨런 포

It was many and many a year ago,
　In a kingdom by the sea,
That a maiden there lived whom you may know
　By the name of Annabel Lee;
And this maiden she lived with no other thought
　Than to love and be loved by me.

It	was	many and many a year	ago,
가주어	동사	보어(명사구)	부사

In a kingdom by the sea,
부사구(전치사구+전치사구)

That a maiden there lived whom you may know
진주어절{접속사+주어+부사+동사+형용사절(관계대명사+주어+동사)}

By the name of Annabel Lee;
부사구(전치사구)

And	this maiden she	lived	with no other thought
접속사	주어	동사	부사구(전치사구+

Than to love and be loved by me,
접속사+동명사+접속사+동명사+부사구)

오래고 오랜 세월 전에
　바닷가 어느 왕국에
당신이 알 수도 있는 한 소녀가 그곳에 살았어요
　애너벨 리라는 이름이었어요
그리고 이 소녀는 다른 생각은 없이 살았어요
　사랑하는 것과 나에게서 사랑을 받는 것 말고는

I was a child and she was a child,
　In this kingdom by the sea;
But we loved with a love that was more than love—
　I and my Annabel Lee;
With a love that the winged seraphs in heaven
　Coveted her and me.

I 주어 / was 동사 / a child 보어 / and 접속사 / she 주어 / was 동사 / a child, 보어

In this kingdom by the sea,
부사구(전치사구+전치사구)

But 접속사 / we 주어 / loved 동사 / with a love that was more than love – 부사구{전치사구+형용사절(관계대명사+동사+보어)}

I and my Annabel Lee;
주어(명사+접속사+명사구)

With a love that the winged seraphs in heaven
부사구{전치사구+형용사절(관계대명사+주어+부사구

Coveted her and me.
동사+간접목적어)}

나는 아이였고 그녀도 아이였어요
　바닷가 이 왕국에서
그리고 우리는 사랑보다 더한 사랑으로 사랑했어요
　나와 나의 애너벨 리는
천국의 날개달린 천사들이
　그녀와 나를 시샘하는 그런 사랑으로

And this was the reason that, long ago,
In this kingdom by the sea,
A wind blew out of a cloud, chilling
My beautiful Annabel Lee;

And	this	was	the reason	that,	long ago,
접속사	주어	동사	보어	접속사	부사

In this kingdom by the sea,
부사구(전치사구+전치사구)

A wind	blew out	of a cloud,	chilling
주어	동사구	(명사구)	부사구(현재분사+

My beautiful Annabel Lee;
목적어)

그리고 그것이 이유였어요, 오래 전에
바닷가 이 왕국에서
구름에서 한 가닥 바람이 불어와, 싸늘하게 만들었어요
나의 아름다운 애너벨 리를

So that her high-born kinsmen came
　And bore her away from me,
To shut her up in a sepulchre
　In this kingdom by the sea.

So / that / her high-born kinsman / came
부사 / 접속사 / 주어(명사구) / 동사

And / bore / her / away / from me,
접속사 / 동사구 / 목적어 / (전치사) / 부사구

To shut her up in a sepulchre
부사구(to부정사구+목적어+부사구)

In this kingdom by the sea
부사구(전치사구+전치사구)

그리하여 그녀의 지체 높은 친척들이 왔어요
　그리고 나에게서 그녀를 데려갔어요
그녀를 묘지 안에 가두기 위해
　바닷가 이 왕국에서

The angels, not half so happy in heaven,
   Went envying her and me-
Yes! that was the reason (as all men know,
   In this kingdom by the sea)
That the wind came out of the cloud by night,
   Chilling and killing my Annabel Lee.

The angels, not half so happy in heaven,
주어 부사구 부사구

Went envying her and me-
동사 부사구(현재분사+목적어)

Yes! that was the reason (as all men know,
부사 주어 동사 보어 부사절(접속사+주어+동사+

In this kingdom by the sea)
부사구+부사구)

That the wind came out of the cloud by night,
접속사 주어 동사구 (명사구) 부사구

Chilling and killing my Annabel Lee.
부사구(현재분사+접속사+현재분사+목적어)

천국에서 우리의 절반만큼도 행복하지 못한 천사들이
   그녀와 나를 시기했던 것이었어요
그래요! 그것이 이유였어요 (모든 사람들이 알고 있듯이
바닷가 이 왕국에서)
밤에 구름에서 바람이 불어와
   나의 애너벨 리를 싸늘하게 죽였어요.

But our love it was stronger by far than the love
　Of those who were older than we –
　Of many far wiser than we –
And neither the angels in heaven above,
　Nor the demons down under the sea,
Can ever dissever my soul from the soul
　Of the beautiful Annabel Lee!

But 접속사 / our love it 주어 / was 동사 / stronger 보어 / by far 부사구 / than 접속사 / the love 부사구{명사구+

Of those who were older than we –
형용사절(관계대명사+동사+보어+부사구)+

Of many far wiser than we –
부사구(부사+형용사+부사구)}

And 접속사 / neither 접속사 / the angels in heaven above, 주어(명사구+부사구+부사)

Nor 접속사 / the demons down under the sea, 주어(명사구+부사+부사구)

Can 조동사 / ever 부사 / dissever 동사 / my soul 목적어 / from the soul 부사구(전치사+

Of the beautiful Annabel Lee!
명사구)

그러나 우리의 사랑은 훨씬 더 강했어요
  우리보다 나이가 더 많은 사람들의 사랑보다 -
  우리보다 훨씬 더 현명한 사람들의 사랑보다 -
그리고 하늘 위 천사들도
  바다 아래 악마들도
내 영혼을 결코 떼어놓을 수 없었어요
  아름다운 애너벨 리의 영혼으로부터

For the moon never beams, without bringing me dreams
    Of the beautiful Annabel Lee;
And the stars never rise. but I feel the bright eyes
    Of the beautiful Annabel Lee;
And so, all the night - tide, I lie down by the side
Of my darling, —my darling, —my life and my bride,
    In her sepulchre there by the sea,
    In her tomb by the sounding sea.

For　the moon　never beams　without bringing me dreams
접속사　주어　부사+동사　부사구(전치사+현재분사+간접목적어+

Of the beautiful Annabel Lee;
직접목적어)

And　the stars　never rise　but I feel the bright eyes
접속사　주어　부사+동사　부사절{접속사+주어+동사+목적어

Of the beautiful Annabel Lee;
(명사구)}

And so, all the night-tide, I lie down by the side
접속사 부사 부사구 주어 동사구 부사구(전치사+

Of my darling, -my darling, -my life and my bride,
명사구+ 명사구+ 명사구+접속사+명사구)

In her sepulchre there by the sea,
부사구(전치사구) 부사 부사구(전치사구)

In her tomb by the sounding sea.
부사구(전치사구) 부사구(전치사구)

달빛은 결코 비치지 않을 거예요
  나에게 아름다운 애너벨리의 꿈을 가져다 주지 않으면
그리고 별은 결코 뜨지 않을 거예요
  내가 아름다운 애너벨 리의 밝은 눈길을 느끼지 못하면
그래서 마침내 나는 밤물결이 칠 때 누워 있을 거예요
내 사랑, -내 사랑, -내 생명 그리고 나의 신부 곁에
  그곳 바닷가 그녀의 묘지 안에,
  파도소리 들리는 바닷가 그녀의 무덤 안에.

THE DA VINCI CODE

Dan Brown

Chapter 12

다빈치 코드

댄 브라운

제 12장

Robert Langdon felt light-headed as he trudged toward the end of the Grand Gallery. Sophie's phone message played over and over in his mind. At the end of the corridor, illuminated signs bearing the international stick-figure symbols for rest rooms guided him through a maze-like series of dividers displaying Italian drawings and hiding the rest rooms from sight.

Robert Langdon felt light-headed as he trudged toward the
주어 동사 목적어 부사절{접속사+주어+동사+
end of the Grand Gallery.
부사구(전치사구)}
로버트 랭던은 대화랑 끝을 향해 터벅터벅 걸어가는 동안 가벼운 어지럼증을 느꼈습니다.

Sophie's phone message played over and over in his mind.
주어(명사구) 동사 부사 부사구(전치사구)
소피의 전화 메시지가 그의 마음속에서 거듭 작동되었던 것입니다.

At the end of the corridor, illuminated signs bearing the
부사구(전치사구) 주어{명사구+형용사구(현재분사+
international stick-figure symbols for rest rooms guided him
목적어)} 동사 목적어
through a maze-like series of dividers displaying Italian drawings
부사구(전치사+명사구+현재분사+목적어+
and hiding the rest rooms from sight.
접속사+현재분사+목적어+부사구)
복도 끝에, 전시중인 이탈리아 그림들과 화장실을 시야에서 가리고 있던 미로 같은 칸막이들 사이로 화장실을 알려주는 막대 모양의 국제 조명 표시가 그를 인도해 주었습니다.

Finding the men's door, Langdon entered and turned on the lights.

The room was empty.

Walking to the sink, he splashed cold water on his face and tried to wake up Harsh fluorescent lights glared off the stark tile, and the room smelled of ammonia. As he toweled off, the rest room's door creaked open behind him. He spun.

Sophie Neveu entered, her green eyes flashing fear. "Thank God you come. We don't have much time."

Finding the men's door, Langdon entered and turned on
부사구(현재분사+목적어) 주어 동사구
the lights. The room was empty.
목적어 주어 동사 보어
남자화장실을 찾자, 랭던은 안으로 들어가 불을 켰습니다. 화장실은 비어 있었습니다.

Walking to the sink, he splashed cold water on his face
부사구(현재분사+부사구) 주어 동사 목적어 부사구
and tried to wake up.
접속사 동사구
세면대로 걸어가, 그는 얼굴에 찬물을 끼얹고 정신을 차리려고 해보았습니다.

Harsh fluorescent lights glared off the stark tile, and
주어(명사구) 동사 부사구(전치사구) 접속사
the room smelled of ammonia.
주어 동사구 목적어
거친 형광등 불빛이 삭막한 타일바닥에 번들거렸고, 화장실에서는 암모니아 냄새가 났습니다.

As he toweled off, the rest room's door creaked open
부사절(접속사+주어+동사구) 주어(명사구) 동사 보어

behind him.   He   spun.
부사구   주어   동사
그가 타월로 닦아내자, 화장실 문이 그의 뒤에서 삐걱 열렸습니다. 그는 돌아섰습니다.

Sophie Neveu   entered,   her green eyes flashing fear.
주어   동사   부사구(명사구+현재분사+목적어)
소피 느뷔가 들어섰고, 그녀의 초록색 눈에는 공포가 서려 있었습니다.

"Thank   God   you come.   We   don't have   much time."
동사   간접목적어   직접목적절   주어   동사   목적어
당신이 와 주신 것을 하나님께 감사합니다. 우리는 시간이 많지 않아요.

Langdon stood beside the sinks, staring in bewilderment at DCPJ cryptographer Sophie Neveu. Only minutes ago, Langdon had listened to her phone message, thinking the newly arrived cryptographer must be insane. And yet, the more he listened, the more he sensed Sophie Neveu was speaking in earnest. *Do not react to this message. Just listen calmly. You are in danger right now. Follow my directions very closely.* Filled with uncertainty, Langdon had decided to do exactly as Sophie advised. He told Fache that the phone message was regarding an injured friend back home. Then he had asked to use the rest room at the end of the Grand Gallery.

Langdon stood beside the sinks, staring in bewilderment at
주어 동사 부사구(전치사구) 부사구(현재분사구+부사구+
DCPJ cryptographer Sophie Neveu.
목적어)
랭던은 세면대 옆에서, 놀라운 속에서 DCPJ의 암호전문가인 소피 느뵈를 물끄러미 바라보며 서 있었습니다.

Only minutes ago, Langdon had listened to her phone message,
부사구 주어 동사구 목적어
thinking the newly arrived cryptographer must be insane.
부사구{현재분사+목적절(주어+동사+보어)}
불과 몇 분 전만 해도, 랭던은 새로 온 암호전문가는 틀림없이 정신이상일 것이라고 생각하며 그녀의 전화 메시지를 들었습니다.

And yet, the more he listened, the more he sensed
접속사 부사 부사 주어 동사 부사 주어 동사
Sophie Neveu was speaking in earnest.
목적절(주어+동사+부사구)
그러나 지금, 그는 들으면 들을수록 소피 느뵈가 진심으로 말하고 있다고 느껴졌습니다.

Do not react to this message. Just listen calmly.
동사 부사구(전치사구) 부사 동사 부사
이 메시지에 대응하지 마세요. 그냥 조용히 듣기만 하세요.

You are in danger right now. Follow my directions very closely.
주어 동사 부사구 부사구 동사 목적어 부사
당신은 지금 위험에 빠져 있어요. 내 지시에 틀림없이 따르세요.

Filled with uncertainty, Langdon had decided to do
부사구(과거분사+전치사구) 주어 동사 목적어
exactly as Sophie advised.
부사 부사절(접속사+주어+동사)
불확실했지만, 랭던은 소피가 하라는 대로 따르기로 결심했습니다.

He told Fache that the phone message was regarding an
주어 동사 간접목적어 직접목적절{접속사+주어+동사+보어(현재분사
injured friend back home.
+목적어+부사구)}
그는 파슈에게 전화 메시지는 부상당한 친구 한 사람이 집에 돌아왔다는 내용이라고 말했던 것입니다.

Then he had asked to use the rest room at the end of
접속사 주어 동사 목적어(to부정사+목적어) 부사구
the Grand Gallery.
(전치사구)
그리고 그는 대화랑 끝의 화장실을 써도 되겠냐고 물었던 것입니다.

Sophie stood before him now, still catching her breath after doubling back to the rest room. In fluorescent lights, Langdon was surprised to see that her strong air actually radiated from unexpectedly soft features. Only her gaze was sharp, and the juxtaposition conjured images of a multilayered Renoir portrait . . . veiled but distinct, with a boldness that somehow retained its shroud of mystery.

Sophie stood before him now, still catching her breath
주어 동사 부사구 부사 부사 부사구(현재분사+목적어)
after doubling back to the rest room.
부사구(전치사구) 부사구(전치사구)
소피는 지금 그의 앞에 서 있고, 화장실로 급하게 돌아오느라고 아직도 가쁜 숨을 몰아쉬고 있었습니다.

In fluorescent lights, Langdon was surprised to see that her
부사구 주어 동사 목적어{to부정사+
strong air actually radiated from unexpectedly soft features.
목적절(접속사+주어+부사+동사+부사구)}
형광등 불빛 속에서, 랭던은 그녀의 예상 밖의 부드러운 모습으로부터 강한 기운이 실제로 퍼져 나오는 것을 보며 놀라워하고 있었습니다.

Only her gaze was sharp, and the juxtaposition conjured
부사 주어 동사 보어 접속사 보어{명사구+
images of a multilayered Renoir portrait . . . veiled but distinct,
형용사
with a boldness that somehow retained its shroud of mystery.
+부사구(전치사구)+형용사절(관계대명사+부사+동사+목적어)}
그녀의 눈초리는 날카로웠고, 그러나 신비의 장막을 덮은 듯한 대담성과 함께, 가려진 듯하면서도 뚜렷한, 르느와르 초상화의 중층적인 복합 매력의 이미지를 지니고 있었습니다.

"I wanted to warn you, Mr. Langdon . . ." Sophie began, still catching her breath, "that you are *sous surveillance cachée.* Under a guarded observation." As she spoke, her accented English resonated off the tile walls, giving he r voice a hollow quality.

"I wanted to warn you, Mr. Langdon . . ." Sophie began,
주어 동사구 간접목적어 주어 동사
still catching her breath, "that you are *sous surveillance*
부사구(부사+현재분사+목적어) 직접목적절{접속사+주어+동사+
cachée. Under a guarded observation."
보어(전치사구)}
'랭던씨, 나는 당신에게 당신이 감시 대상이라는 것을 경고하고 싶었습니다.' 소피가 아직도 숨을 몰아쉬며 말을 시작했습니다.

As she spoke, her accented English resonated
부사절(접속사+주어+동사) 주어 동사
off the tile walls, giving her voice a hollow quality.
부사구(전치사구) 부사구(현재분사+간접목적어+직접목적어)
그녀가 말을 할 때, 그녀의 악센트 있는 영어는 목소리에 공허한 질감을 주며 타일벽에서 되돌아 나왔습니다.

"But . . . why?" Langdon demanded. Sophie had already given him an explanation on the phone, but he wanted to hear it from her lips.

"Because," she said, stepping toward him, "Fache's primary suspect in this murder is *you*."

"But . . . why?" Langdon demanded. Sophie had already given
접속사 부사 주어 동사 주어 동사+부사
him an explanation on the phone, but he
간접목적어 직접목적어 부사구(전치사구) 접속사 주어
wanted to hear it from her lips.
동사구 목적어 부사구(전치사구)

'그래요……. 왜요?' 랭던이 다그쳤습니다. 소피가 전화로 그에게 이미 설명을 해주었지만, 그는 그녀의 입술을 통해 직접 듣고 싶었습니다.

"Because," she said, stepping toward him,
접속사 주어 동사 부사구(현재분사+전치사구)
"Fache's primary suspect in this murder is you."
주어(명사구+전치사구) 동사 보어
'왜냐하면, 파슈가 생각하는 이 살인사건의 가장 유력한 용의자는 바로 당신이기 때문입니다.' 그녀는 그에게 다가서며 말했습니다.

Langdon was braced for the words, and yet they still sounded utterly ridiculous. According to Sophie, Langdon had been called to the Louvre tonight not as a symbologist but rather as a *suspect* and was currently the unwitting target of one of DCPJ's favorite interrogation methods−*surveillance cachée*− a deft deception in which the police calmly invited a suspect to a crime scene and interviewed him in hopes he would get nervous and mistakenly incriminate himself.

Langdon was braced for the words, and yet they still
주어 동사 부사구 접속사 부사 주어 부사
sounded utterly ridiculous.
동사 부사 보어
랭던은 그 말에 긴장은 되었지만, 그래도 너무 터무니없게 들렸습니다.

According to Sophie, Langdon had been called to the Louvre
부사구 주어 동사 부사구

tonight not as a symbologist but rather as a suspect
부사 부사 부사구(전치사구) 접속사 부사 부사구(전치사구)

and was currently the unwitting target of one of DCPJ's
접속사 동사 부사 보어[명사구+

favorite interrogation methods—*surveillance cachée*—a deft
deception in which the police calmly invited a suspect to a crime
형용사절{관계대명사+주어+동사+목적어+부사구(전치사구)

scene and interviewed him in hopes he would get nervous
+ 접속사+동사+목적어+부사구(전치사구+형용사절<주어+동사+보어

and mistakenly incriminate himself.
+접속사+부사+동사+목적어>)}]

소피에 의하면, 랭던이 오늘 밤 루브르로 호출되어 온 것은 기호학자로서가 아니라 용의자로서였다는 것입니다. 그리고 랭던은 지금 DCPJ가 선호하는 수사 기법인 교묘한 사기극에 자신도 모르게 목표물이 되어 있다는 것입니다. 그 사기극에서 경찰은 범죄 현장으로 용의자를 조용히 초청하여 그가 신경과민이 되어 실수로 스스로 범죄를 인정할지도 모른다는 희망을 가지고 면담을 한다는 것이었습니다.

"Look in your jacket's left pocket," Sophie said. "You'll find proof they are watching you."

Langdon felt his apprehensions rising. *Look in my pocket?* It sounded like some kind of cheap magic trick.

"Just look."

"Look in your jacket's left pocket," Sophie said. "You will find
동사 부사구(전치사구) 주어 동사 주어 동사

proof they are watching you."
목적어 목적격보어절(주어+동사+목적어)

'당신 재킷의 왼쪽 주머니를 살펴보세요. 그들이 당신을 감시하고 있다는 증거를 발견할 거예요.' 소피가 말했습니다.

Langdon felt his apprehensions rising. *Look in my*
주어 동사 목적어 목적격보어 동사 부사구
pocket? It sounded like some kind of cheap magic trick.
(전치사구) 주어 동사 부사구(전치사구)
"Just look."
부사 동사
랭던은 자신의 불안감이 고조되는 것을 느꼈습니다. 내 주머니를 보라구? 그것은 마치 싸구려 마술의 속임수 같이 들렸습니다. '그냥 보세요.'

Bewildered, Langdon reached his hand into his tweed jacket's left pocket-one he never used. Feeling around inside, he found nothing. *What the devil did you expect?* He began wondering if Sophie might just be insane after all. Then his fingers brushed something unexpected. Small and hard. Pinching the tiny object between his fingers, Langdon pulled it out and stared in astonishment. It was metallic, button shaped disk, about the size of a watch battery. He had never seen it before. "What the . . . ?"

Bewildered, Langdon reached his hand into his tweed jacket's
형용사 주어 동사 목적어 부사구(전치사구)
left pocket-one he never used.
부사절(목적어+주어+동사)

황당한, 랭던은 트위드 재킷의 왼쪽 주머니에 손을 넣었습니다-그 주머니는 전혀 사용한 적이 없었습니다.

Feeling around inside, he found nothing.
부사구(현재분사+부사구) 주어 동사 목적어
주머니 안을 뒤져 보았지만, 그는 아무것도 찾을 수가 없었습니다.

What the devil did you expect?
목적어 조동사 주어 동사
도대체 무엇을 어쩌자는 거야?

He began wondering if Sophie might just be insane after all.
주어 동사 목적어 부사절(접속사+주어+동사+보어+부사구)
그는 소피는 결국 정신이상일지도 모른다는 의혹을 갖기 시작했습니다.

Then his fingers brushed something unexpected.
부사 주어 동사 목적어 목적격보어
바로 그때 그의 손가락은 예상치 못한 무엇인가를 더듬거리고 있었습니다.

Small and hard. Pinching the tiny object between his fingers,
형용사 부사구(현재분사+목적어+부사구)
Langdon pulled it out and stared in astonishment.
주어 동사구 목적어 접속사 동사 부사구
작고 단단했습니다. 랭던은 손가락 사이에 그 작은 물건을 집어서 꺼내 놓고 놀라운 속에서 들여다보았습니다.

It was metallic, button shaped disk, about the size of a
주어 동사 보어(명사구+ 형용사구(전치사구)
watch battery.

그것은 금속성 단추 모양의 동그란 물건이었고, 손목시계 배터리 정도의 크기였습니다.

He had never seen it before. "What the . . . ?"
주어 동사+부사 목적어 부사 부사

그는 전에 그런 것을 전혀 본 적이 없었습니다. '뭐지……?'

"GPS tracking dot," Sophie said. "Continuously transmits its location to a Global Positioning System satellite that DCPJ can monitor. We use them to monitor people's locations. It's accurate within two feet anywhere on the globe. They have you on an electronic leash. The agent who picked you up at the hotel slipped it inside your pocket before you left your room."

"GPS tracking dot," Sophie said. "Continuously transmits
주어(명사구) 주어 동사 부사 동사
its location to a Global Positioning System satellite that DCPJ
목적어 부사구(전치사구) 부사절(접속사
can monitor.
+주어+조동사+본동사)

'GPS 추적 장치에요. DCPJ가 모니터할 수 있도록 자신의 위치를 GPS 위성에게 연속적으로 송신하는 것이지요.' 소피가 말했습니다.

We use them to monitor people's locations.
주어 동사 목적어 부사구(to부정사+목적어)
우리는 사람들의 위치를 모니터하기 위해 그것을 사용한답니다.

It is accurate within two feet anywhere on the globe.
주어 동사 보어 부사구(전치사구+부사+전치사구)
그것은 지구상 어디에서도 2피트 이내까지 정확해요.

They have you on an electronic leash.
주어 동사 목적어 부사구(전치사구)
그들은 전자 사슬로 당신을 묶은 것이지요.

The agent who picked you up at the hotel slipped
주어{명사+형용사절(관계대명사+동사구+목적어+부사구)} 동사
it inside your pocket before you left your room."
목적어 부사구(전치사구) 부사절(접속사+주어+동사+목적어)
호텔에서 당신을 데려온 요원이 당신이 방을 떠나기 전에 주머니 속에 그것을 살짝 넣었지요.'

Langdon flashed back to the hotel room . . . his quick shower, getting dressed, the DCPJ agent politely holding out Langdon's tweed coat as they left the room. *It's cool outside, Mr. Langdon,* the agent had said. *Spring in Paris is not all your song boasts.* Langdon had thanked him and donned the jacket.

Langdon flashed back to the hotel room . . . his quick
주어 동사 부사 부사구(전치사구) 부사구(명사구)
shower, getting dressed, the DCPJ agent politely holding out
부사구 주어 부사 동사구
Langdon's tweed coat as they left the room.
목적어 부사절(접속사+주어+동사+목적어)
랭던의 재빨리 호텔방을 돌이켜 보았습니다... 급히 샤워를 하고, 옷을 입고, DCPJ 요원은 그들이 방을 떠날 때 점잖게 랭던의 트위드 재킷을 건네주었습니다.

It is cool outside, Mr. Langdon, the agent had said.
주어 동사 보어 부사 주어 동사
Spring in Paris is not all your song boasts.
주어(명사구) 동사 보어(명사구)
'랭던씨, 밖은 춥니다. 파리의 봄은 노래가 찬양하는 것 같지는 않거든요.' 요원은 말했습니다.

Langdon had thanked him and donned the jacket.
주어 동사 목적어 접속사 동사 목적어
랭던은 그에게 감사하다고 했고 그리고 재킷을 걸쳤습니다.

Sophie's olive gaze was keen. "I didn't tell you about the tracking dot earlier because I didn't want you checking your pocket in front of Fache. He can't know you've found it."

Sophie's olive gaze was keen.
주어(명사구) 동사 보어
소피의 올리브색 시선은 날카로웠습니다.

"I didn't tell you about the tracking dot earlier
주어 동사 간접목적어 직접목적어(전치사구) 부사
because I didn't want you checking your pocket in front of Fache.
부사절{접속사+주어+동사+목적어+부사구(현재분사+목적어+부사구}
He can't know you've found it."
주어 동사 목적절(주어+동사+목적어)
'나는 당신이 파슈 앞에서 주머니를 뒤지는 것을 원하지 않았기 때문에 그 추적 장치에 대해 미리 말하지 않았어요. 당신이 그것을 발견했다는 것을 그가 알아서는 안돼요.'

Langdon had no idea how to respond.

"They tagged you with GPS because they thought you might run." She paused. "In fact, they *hoped* you would run; it would make their case stronger."

"Why would I run!" Langdon demanded. "I'm innocent."

"Fache feels otherwise."

Angrily, Langdon stalked toward the trash receptacle to dispose of the tracking dot.

Langdon had no idea how to respond.
주어 동사 목적어 부사구(부사+to부정사)
랭던은 어떻게 대답을 해야 할지 아무런 생각이 없었습니다.

"They tagged you with GPS because
주어 동사구 간접목적어 (전치사) 직접목적어 부사절{접속사+
they thought you might run." She paused.
주어+동사+목적절(주어+동사)} 주어 동사

'그들은 당신이 도망치지도 모른다고 생각했기 때문에 당신에게 GPS를 넣어 놓았지요.' 그녀는 잠시 쉬었습니다.

"In fact, they hoped you would run; it would make
부사구 주어 동사 목적절 주어 동사
their case stronger."
목적어 목적격보어
'사실, 그들은 당신이 도망치기를 원할 거예요. 그것은 그들의 입장을 더욱 확실하게 해줄 테니까요.'

"Why would I run!" Langdon demanded. "I am
부사 조동사 주어 동사 주어 동사 주어 동사
innocent." "Fache feels otherwise."
보어 주어 동사 부사
'내가 왜 도망을 간단 말입니까! 나는 결백해요.' 랭던이 다급하게 말했습니다. '파슈는 다르게 생각하고 있지요.'

Angrily, Langdon stalked toward the trash receptacle
부사 주어 동사 부사구(전치사구)
to dispose of the tracking dot.
부사구(to부정사구+목적어)
화가 나서, 랭던은 그 추적 장치를 버리기 위해 쓰레기통을 향해 성큼성큼 걸어갔습니다.

"No!" Shophie grabbed his arm and stopped him. "Leave it in your pocket. If you throw it out, the signal will stop moving, and they'll know you found the dot.

The only reason Fache left you alone is because he can monitor where you are. If he thinks you've discovered what he's doing . . ." Sophie did not finish the thought. Instead, she pried the metallic disk from Langdon's hand and slid it back into the pocket of his tweed coat. "The dot stays with you. At least for the moment."

"No!" Shophie grabbed his arm and stopped him.
부사 주어 동사 목적어 접속사 동사 목적어
'안 돼요!' 소피가 그의 팔을 잡고 그를 멈추게 했습니다.

"Leave it in your pocket. If you throw it out, the signal
동사 목적어 부사구 부사절 주어
will stop moving, and they'll know you found the dot.
동사 목적어 접속사 주어+동사 목적절
'주머니에 그냥 넣어두세요. 그것을 버리면, 위치 신호는 작동을 멈출 거예요. 그러면 그들은 당신이 그 장치를 발견했다는 것을 알게 되겠지요.

The only reason Fache left you alone is
주어{명사구+ 형용사절(주어+동사+목적어+목적격보어)} 동사
because he can monitor where you are.
부사절{접속사+주어+동사+부사절(관계부사+주어+동사)}
파슈가 당신이 혼자 있도록 내버려 둔 단 하나의 이유는 당신이 어디에 있든지 그가 모니터할 수 있기 때문이지요.

If he thinks you've discovered what he's doing . . ." Sophie
부사절{접속사+주어+동사+목적절(주어+동사+목적절)} 주어

did not finish the thought.
동사 목적어
만일 그가 자기가 한 짓을 당신이 알아차렸다고 생각한다면…….' 소피는 생각을 끝내지 않았습니다.

Instead, she pried the metallic disk from Langdon's hand
부사 주어 동사 목적어 부사구(전치사구)
and slid it back into the pocket of his tweed coat.
접속사 동사 목적어 부사 부사구(전치사구)
대신, 그녀는 랭던의 손에서 그 금속 디스크를 집어들어 그의 트위드 코트 주머니에 도로 넣었습니다.

"The dot stays with you. At least for the moment."
주어 동사 부사구 부사구 부사구
'이 장치는 당신과 함께 있어야 해요. 적어도 이 순간은요.'

Langdon felt lost. "How the hell could Fache actually believe I killed Jacques Saunière!"

"He has some fairly persuasive reasons to suspect you." Sophie's expression was grim. "There is a piece of evidence here that you have not yet seen. Fache has kept it carefully hidden from you."

Langdon felt lost. "How the hell could Fache actually
주어 동사 보어 부사구 조동사 주어 부사
believe I killed Jacques Saunière!"
동사 목적절(주어+동사+목적어)

랭던은 망연자실했습니다. '빌어먹을, 어떻게 파슈는 내가 자크 소니에르를 정말 죽였다고 믿는단 말이야?'

"He has some fairly persuasive reasons to suspect you."
주어 동사 목적어(명사구+형용사구)
'그는 당신을 의심할 만한 상당히 설득력 있는 이유를 가지고 있어요.'

Sophie's expression was grim. "There is a piece of
주어 동사 보어 주어 동사 보어{명사구+
evidence here that you have not yet seen. Fache
부사+형용사절(관계대명사+주어+동사+부사)} 주어
has kept it carefully hidden from you."
동사 목적어 부사 목적격보어 부사구
소피의 말투는 냉정했습니다. '당신이 아직 보지 못한 증거가 여기 하나 있어요. 파슈는 당신에게 그것을 조심스럽게 감추고 있지요.'

Langdon could only stare.

"Do you recall the three lines of text that Saunière wrote on the floor?"

Langdon nodded. The numbers and words were imprinted on Langdon's mind.

Langdon could only stare.
주어 조동사+부사+동사
랭던은 그저 바라볼 수밖에 없었습니다.

"Do you recall the three lines of text that Saunière wrote
조동사 주어 동사 목적어(명사구) 목적격보어절(접속사+
on the floor?"
주어+동사+부사구)
'당신은 소니에르가 바닥에 써 놓은 문구 세 줄을 기억합니까?'

Langdon nodded. The numbers and words were imprinted
주어 동사 주어(명사구) 동사
on Langdon's mind.
부사구(전치사구)
랭던은 머리를 끄덕였습니다. 그 숫자와 단어들은 랭던의 마음에 새겨져 있었습니다.

Sophie's voice dropped to a whisper now. "Unfortunately, what you saw was not the entire message. There was a *fourth* line that Fache photographed and then wiped clean before you arrived."

Sophie's voice dropped to a whisper now.
주어 동사 부사구(전치사구) 부사
소피의 목소리는 지금 속삭임으로 낮아졌습니다.

"Unfortunately, what you saw was not the entire
부사 주어절(목적어+주어+동사) 동사 보어(명사구)
message. There was a fourth line that Fache photographed
주어 동사 보어{명사구+형용사절(접속사+주어+동사+
and then wiped clean before you arrived."
접속사+부사+동사+부사+부사절)}

'안됐지만, 당신이 본 것이 메시지의 전부가 아니었어요. 당신이 오기 전에 파슈가 사진을 찍은 다음에 깨끗하게 지워버린 네 번째 줄이 있었어요.'

Although Langdon knew the soluble ink of a watermark stylus could easily be wiped away, he could not imagine why Fache would erase evidence.

Although Langdon knew the soluble ink of a watermark stylus
부사절{접속사+주어+동사+목적절(주어+
could easily be wiped away, he could not imagine
동사구+부사)} 주어 동사
why Fache would erase evidence.
목적절(관계부사+주어+동사+목적어)
랭던은 수성 펌기구의 용해성 잉크가 쉽게 지워진다는 것을 알고 있었지만, 왜 파슈가 증거를 지워버렸는지는 상상할 수가 없었습니다.

"The last line of the message," Sophie said, "was something Fache did not want you to know about." She paused. "At least not until he was done with you."

"The last line of the message," Sophie said, "was something
주어 주어 동사 동사 보어[대명사
Fache did not want you to know about."
+형용사절{주어+동사+목적어+목적격보어(to부정사+전치사구)}]
'메시지의 마지막 줄은 파슈가 당신에게 알려주고 싶지 않은 어떤 것이었어요.' 소피가 말했습니다.

She paused. "At least not until he was done with you."
주어 동사 부사구 부사구 주어 동사 부사구
그녀는 잠시 쉬었습니다. '적어도 그가 당신에 대해 일을 마칠 때까지는 말이에요.'

Sophie produced a computer printout of a photo from her sweater pocket and began unfolding it. "Fache uploaded images of the crime scene to the Cryptology Department earlier tonight in hopes we could figure out what Saunière's message was trying to say. This is a photo of the complete message." She handed the page to Langdon.

Sophie produced a computer printout of a photo from her
주어 동사 목적어(명사구) 부사구
sweater pocket and began unfolding it.
(명사구) 접속사 동사 목적어(현재분사+목적어)
소피는 스웨터 주머니에서 어떤 사진의 컴퓨터 출력물 한 장을 꺼내어 그것을 펴기 시작했습니다.

"Fache uploaded images of the crime scene to the Cryptology
주어 동사 목적어(명사구) 부사구(전치사구)
Department earlier tonight in hopes we could figure out what
부사 부사구 부사절{주어+동사구+목적절
Saunière's message was trying to say. This is a photo of the
(관계대명사+주어+동사)} 주어 동사 보어(명사구)
complete message."

'파슈는 우리가 소니에르의 메시지가 무엇을 말하고자 했는가를 알아낼지도 모른다는 희망을 가지고 오늘밤 일찍 암호 해독 부서로 이 범죄 현장 사진을 전송했어요. 이것이 완전한 메시지의 사진이에요.'

She handed the page to Langdon.
주어 동사 목적어 부사구
그녀는 랭던에게 사진을 넘겨주었습니다.

Bewildered, Langdon looked at the image. The close-up photo revealed the growing message on the parquet floor. The final line hit Langdon like a kick in the gut.

Bewildered, Langdon looked at the image.
(형용사) 주어 동사구 목적어
놀란 랭던은 그 사진을 들여다보았습니다.

The close-up photo revealed the growing message on the parquet floor.
주어(명사구) 동사 목적어 부사구 (전치사구)
그 근접 사진은 나무 모자이크 마룻바닥 위의 선명한 메시지를 보여주고 있었습니다.

The final line hit Langdon like a kick in the gut.
주어(명사구) 동사 목적어 부사구 부사구
마지막 한 줄은 내장을 걷어차는 발길질처럼 랭던을 후려쳤습니다.

13-3-2-21-1-1-8-5
O, Draconian devil!
Oh, lame saint!
P.S. Find Robert Langdon

<u>13-3-2-21-1-1-8-5</u>
(명사구)
<u>O, Draconian devil!</u>
(명사구)
<u>Oh, lame saint!</u>
(명사구)
<u>P.S.</u> <u>Find</u> <u>Robert Langdon</u>
동사 목적어

13-3-2-21-1-1-8-5
오, 드라콘의 악마여!
아, 절름발이 성인이여!
추신: 로버트 랭던을 찾아라

The AUDACITY *of* HOPE

Barack Obama

Chapter four Politics

희망의 담대함

버락 오바마

제 4 장 정 치

One of my favorite tasks of being a senator is hosting town hall meetings. I held thirty-nine of them my first year in the Senate, all across Illinois, in tiny rural towns like Anna and prosperous suburbs like Naperville, in black churches on the South Side and a college in Rock Island. There's not a lot of fantastic involved.

My staff will call up the local high school, library, or community college to see if they're willing to host the event. A week or so in advance, we advertise in the town newspaper, in church bulletins, and on the local radio station. On the day of the meeting I'll show up a half hour early to chat with town leaders and we'll discuss local issues, perhaps a road in need of repaving or plans for a new senior center. After taking a few photographs, we enter the hall where the crowd is waiting. I shake hands on my way to the stage, which is usually bare except for a podium, a microphone, a bottle of water and an American flag in its stand. And then, for the next hour or so, I answer to the people who sent me to Washington.

One of my favorite tasks of being a senator is hosting town hall
주어(명사구) 동사 목적어(명
meetings.
사구)
상원 의원으로서 내가 가장 좋아하는 업무 중 하나는 마을회관 모임을 주최하는 것입니다.

I held thirty-nine of them my first year in the Senate,
주어 동사 목적어 부사구 부사구(전치사구)
all across Illinois, in tiny rural towns like Anna and
부사+부사구(전치사구) 부사구(전치사구+ 전치사구) 접속사
prosperous suburbs like Naperville, in black churches on the
부사구(명사구+전치사구) 부사구(전치사구+ 전치사구)

South Side and a college in Rock Island.
접속사 부사구(명사구+전치사구)

나는 상원에서의 첫 해에 39차례의 모임을 가졌습니다. 일리노이의 전 지역으로, 애너 같은 작은 농촌 마을과 네이퍼빌 같은 교외의 부유한 지역, 사우스 사이드의 흑인 교회와 록아일랜드의 대학 등이었습니다.

There is not a lot of fantastic involved.
주어 동사 보어(명사구)

환상적인 분위기로 가득 찬 것만은 아니었습니다.

My staff will call up the local high school, library, or community
주어 동사구 간접목적어(명사구)

college to see if they're willing to host the event.
직접목적어{to부정사+목적절(접속사+주어+동사구+목적어)}

나의 참모들이 현지 고등학교, 도서관, 커뮤니티 칼리지에 그들이 이런 행사를 주최하고자 하는지를 알아보기 위해 전화를 겁니다.

A week or so in advance, we advertise in the town newspaper,
부사구 주어 동사 부사구(전치사구)

in church bulletins, and on the local radio station.
부사구(전치사구) 접속사 부사구(전치사구)

1주일 정도 전에, 우리는 마을 신문, 교회 회보, 그리고 지역 라디오 방송국에 광고를 합니다.

On the day of the meeting I'll show up a half hour early to chat
부사구(전치사구) 주어+동사구 시간부사구 부사구

with town leaders and we'll discuss local issues, perhaps
(to부정사+부사구) 접속사 주어+동사 목적어 부사

a road in need of repaving or plans for a new senior center.
목적격보어(명사+형용사구+접속사+명사+형용사구)
모임 당일에 나는 마을 지도자들과 담소를 하기 위해 반 시간 전에 도착하고 그 다음에 재포장이 필요한 도로나 경로회관 신축 계획 같은 지역 문제에 대해 토의를 합니다.

After taking a few photographs, we enter the hall
부사 부사구(현재분사+목적어) 주어 동사 부사구{명사+
where the crowd is waiting.
형용사절(관계부사+주어+동사)}
사진을 몇 장 찍은 다음, 우리는 군중이 기다리고 있는 홀로 들어갑니다.

I shake hands on my way to the stage,
주어 동사 목적어 부사구(전치사구) 부사구{전치사구+
which is usually bare except for a podium, a microphone, a bottle
형용사절(관계대명사+동사+부사+보어+전치사구+명사+명사+명사구+
of water and an American flag in its stand.
접속사+명사구+전치사구)}
나는 무대로 가는 도중에 악수를 합니다. 보통 무대에는 강단, 마이크, 물병 하나, 받침대 위에 미국기가 있을 뿐 비어 있습니다.

And then, for the next hour or so, I answer
접속사 부사 부사구 접속사 부사 주어 동사
to the people who sent me to Washington.
부사구{전치사구+형용사절(관계대명사+동사+목적어+부사구)}
그리고 그때부터, 1시간 가량, 나는 나를 워싱턴으로 보내준 사람들에게 답변을 해줍니다.

Attendance varies at these meetings. We've had as few as fifty people turn out, as many as two thousand. But however many people show up, I am grateful to see them. They are a cross-section of the countries we visit: Republican and Democrat, old and young, fat and skinny, truck drivers, college professors, stay-at-home moms, veterans, schoolteachers, insurance agents, CPAs, secretaries, doctors, and social workers. They are generally polite and attentive, even when they disagree with me (or more another). They ask me about prescriptions drugs, the deficit, human rights in Myanmar, ethanol, bird flu, school funding, and the space program. Often they will surprise me. A young flaxen -haired woman in the middle of farm country will deliver a passionate plea for intervention in Darfur, or an elderly black gentleman in an inner-city neighborhood will quiz me an soil conservation.

Attendance　varies　at these meetings.
주어　동사　부사구(전치사구)
이 모임의 참석자들은 다양합니다.

We've had　as few as　fifty people turn out,　as many as　two thousand.
주어+동사　부사구　목적절(주어+동사구)　부사구　목적어(명사구)
우리는 적을 때는 50명의 참석자들 모으고, 많을 때는 2천 명에 이릅니다.

But however many people show up, I am grateful
부사절(접속사+부사+주어+동사구) 주어 동사 보어
to see them.
부사구(to부정사+목적어)
얼마나 많은 사람들이 참석하든, 나는 그들과 만나는 것에 감사합니다.

They are a cross-section of the countries we visit:
주어 동사 보어{명사구+형용사절(주어+동사)}:
Republican and Democrat, old and young, fat and skinny, truck drivers, college professors, stay-at-home moms, veterans, schoolteachers, insurance agents, CPAs, secretaries, doctors, and social workers.
(명사구)
그들은 우리가 방문하는 지방의 교차-단면을 보여 줍니다: 공화당원과 민주당원, 나이 든 사람과 젊은 사람, 뚱뚱한 사람과 마른 사람, 트럭 운전기사, 대학 교수, 전업 가정주부, 재향군인, 학교 교사, 보험 영업사원, 공인회계사, 비서, 의사, 그리고 사회운동가들입니다.

They are generally polite and attentive, even when
주어 동사 부사 보어 부사절(부사+접속사+
they disagree with me (or more another).
주어+동사+부사구
그들은 나(또는 다른 사람들)의 의견에 동의하지 않을 때에도 대체로 공손하고 겸허했습니다.

They ask me about prescriptions drugs, the deficit,
주어 동사 간접목적어 부사구(전치사구)
human rights in Myanmar, ethanol, bird flu, school funding, and the space program.

그들은 나에게 약제 처방, 재정 적자, 미얀마의 인권, 에탄올, 조류 독감, 학교 기금, 그리고 우주 계획 등에 대해 물었습니다.

Often they will surprise me.
부사 주어 동사 목적어
가끔 그들은 나를 놀라게 했습니다.

A young flaxen-haired woman in the middle of farm country
주어(명사구+형용사구)
will deliver a passionate plea for intervention in Darfur, or
동사 목적어(명사구+형용사구+부사구) 접속사
an elderly black gentleman in an inner-city neighborhood
주어(명사구+형용사구)
will quiz me an soil conservation.
동사 간접목적어 직접목적어
농촌 지방 한복판에 사는 황갈색 머리의 젊은 여성은 다르푸르에의 개입에 대해 열정적 청원을 하는가 하면, 대도시 지역에 사는 나이든 흑인 신사는 나에게 토양 보존에 대한 문제를 제기했습니다.

And as I look our event over the crowd, I somehow feel encouraged. In their bearing I see hard work. In the way they handle their children I see hope. My time with them is like a dip in a cool stream. I feel cleaned afterward, glad for the work I have chosen.

And as I look our event over the crowd, I somehow feel
접속사 부사절(접속사+주어+목적어+부사구) 주어 부사 동사

encouraged. In their bearing I see hard work.
보어 부사구(전치사구) 주어 동사 목적어
그리고 이 군중을 통해 우리의 행사를 지켜볼 때, 나는 어떤 용기에 고무됨을 느낍니다. 나는 그들의 태도에서 열심히 일한다는 것을 볼 수 있습니다.

In the way they handle their children I see hope.
부사구{전치사구+형용사절(주어+동사+목적어)} 주어 동사 목적어
그들이 아이들을 다루는 방식에서 나는 희망을 봅니다.

My time with them is like a dip in a cool stream.
주어(명사구+형용사구) 동사 보어(형용사구+부사구)
I feel cleaned afterward, glad for the work
주어 동사 보어 부사 보어 부사구{전치사구+
I have chosen.
형용사절(주어+동사)}
그들과의 시간은 시원한 개울에 몸을 담그는 것 같습니다. 그 후 나는 깨끗해짐을 느끼고, 내가 선택한 일에 기쁨을 느낍니다.

At the end of the meeting, people will usually come up to shake hands, take pictures, or nudge their child forward to ask for an autograph. They slip things into my hand—articles, business cards, handwritten notes, armed-services medallions, small religious objects, good-luck charms. And sometimes someone will grab my hand and tell me that they have great hopes for me, but that they are worried that Washington is going to change me and I will end up just like all the rest of the people in power.

Please stay who you are, they will say to me.

Please don't disappoint us.

At the end of the meeting, people will usually come up
부사구(전치사구) 주어 조동사+부사+동사구
to shake hands, take pictures, or nudge their child forward to ask
부사구{to부정사+목적어+to부정사+목적어+접속사+to부정사+목적어+
for an autograph.
부사+to부정사+목적어)}

모임이 끝날 때에는, 사람들은 대개 악수를 하거나, 사진을 찍거나, 아이들을 앞으로 내보내 사인을 받게 하기 위해 다가옵니다.

They slip things into my hand– articles, business cards,
주어 동사 목적어 부사구 목적격보어(명사구)
handwritten notes, armed - services medallions, small religious
objects, good–luck charms.

그들은 내 손에 물건들을 쥐어줍니다–신문기사, 명함, 손으로 쓴 쪽지, 군복무 기념메달, 작은 종교 용품, 행운을 비는 장식물 등입니다.

And sometimes someone will grab my hand and tell
접속사 부사 주어 동사 목적어 접속사 동사
me that they have great hopes for me, but
간접목적어 직접목적절(접속사+주어+동사+목적어+부사구) 접속사
that they are worried that Washington is going to change me
직접목적절{접속사+주어+동사+목적절(접속사+주어+동사+목적어)+
and I will end up just like all the rest of the people in power.
접속사+목적절(주어+동사구+부사+부사구+부사구)}

그리고 어떤 때 어떤 사람은 내손을 꼭 잡고 자기들은 나에게 큰 희망을 걸고 있지만, 워싱턴이 나를 변화시킬 것이고 그리고 권력에 있는 다른 사람들처럼 나도 끝나 버릴까봐 걱정된다고 나에게 말합니다.

Please stay who you are, they will say to me.
부사 부사절(동사+목적절) 주어 동사 부사구
제발 당신 있는 그대로 있어 주시오, 그들은 나에게 말합니다.

Please don't disappoint us.
부사 동사 목적어
제발 우리를 실망시키지 마세요.

It is an American tradition to attribute the problem with our politics to the quality of our politicians. At times this is expressed in very specific terms. The president is a moron, or Congressman So-and So is a bum. Sometimes a broader indictments is issued, as in "They're all in the pockets of the specials interests." Most voters conclude that everyone in Washington is "just playing politics," meaning that votes or positions are taken contrary to conscience, that they are based on campaign contributions or the polls or loyalty to party rather than on trying to do what is right. Pften, the fiercest criticisms is reserved for the politician from one's own ranks, the Democrat who "doesn't stand for anything" or the "Republican in Name Only."

All of which leads to the conclusion that if we want anything to change in Washington, we'll need to throw the rascals out.

It / is / an American tradition / to attribute the problem with
가주어 동사 보어 진주어구{to부정사+목적어+
our politics to the quality of our politicians.
형용사구(전치사구)+부사구(전치사구)}
우리의 정치에 관한 문제를 정치인의 자질 탓으로 전가하는 것은 미국의 전통입니다.

At times / this / is expressed / in very specific terms.
부사구 주어 동사 부사구
때때로 이것은 아주 특정한 언어로 표현되기도 합니다.

The president / is / a moron, / or / Congressman So-and-So
주어 동사 보어 접속사 주어
is / a bum.
동사 보어
대통령은 저능아다, 아니면 하원의원 누구누구는 쓸모없는 인간이다.

Sometimes / a broader indictments / is issued, / as / in "They
부사 주어 동사 접속사 부사구
are all in the pockets of the specials interests."
(전치사+명사절)
어떤 때는 '그들은 모두 어느 특정 이익집단의 주머니 속에 들어있다.' 같은 보다 폭넓은 비난을 받기도 합니다.

Most voters conclude that everyone in Washington is "just
주어 동사 목적절[접속사+주어+동사+보어{부사+
playing politics," meaning that votes or positions are taken
현재분사+목적어+현재분사+목적절(접속사+주어+동사+
contrary to conscience, that they are based on campaign
보어+부사구)+ 목적절(접속사+주어+동사+보어+부사구<전치
contributions or the polls or loyalty to party rather than
사+명사구+접속사+명사구+접속사+명사구+부사+접속사>+
on trying to do what is right.
부사구<전치사+현재분사구+목적절>)}]
대부분의 유권자들은 워싱턴에 있는 사람에게 있어서 선거와 지위란 양심과는 상반된다는 것을 의미하고, 그들은 올바른 무엇을 해보려고 하는 것보다는 헌금운동이나 여론조사나 당에 충성하는 것이 더 기본이라는 것을 의미하는 그냥 정치를 한다는 것으로 결론짓습니다.

Often, the fiercest criticisms is reserved for the politician
부사 주어(명사구) 동사 부사구(전치사구)
from one's own ranks, the Democrat who "doesn't stand for
부사구(전치사구) 목적어{명사+형용사절(관계대명사+동사구
anything" or the "Republican in Name Only."
+목적어)+접속사+명사구(명사+전치사구)}
가끔, 민주당원은 '아무 것도 할 줄 모른다' 아니면 '공화당원은 이름뿐이다' 같은 정치인들에 대한 통렬한 비판은 그들의 지지계층에서 나옵니다.

All of which leads to the conclusion that if we want anything
주어 동사 부사구(전치사구) 목적절{접속사+부사절(접속
to change in Washington, we'll need to throw the rascals out.
사+주어+동사+목적어+목적격보어+부사구)+주어+동사구+목적어+부사}
이 모든 것은 우리가 만일 워싱턴에서 어떤 변화가 일어나기를 원한다면, 우리는 악당들을 축출해야만 한다는 결론을 이끌어 냅니다.

And yet year after year we keep the rascals right where they are, with the reelection rate for House members hovering at around 96 percent.

And / yet / year after year / we / keep / the rascals / right
접속사 / 부사 / 부사구 / 주어 / 동사 / 목적어 / 목적격보어

where they are, / with the reelection rate for House
부사절(접속사+주어+동사) / 부사구(전치사+명사구+ 전치사+명사구+

members hovering at around 96 percent.
현재분사구+부사구)

그러나 해가 지나고 또 지나도 우리는 하원의원의 재당선 비율을 96% 남짓 유지시켜 줌으로 그 악당들이 그들의 자리에 당당히 있도록 해줍니다.

Political scientists can give you a number of reasons for this phenomenon. In today's interconnected world, it's difficult to penetrate the consciousness of a busy and distracted electorate. As a result, winning in politics mainly comes down to a simple matter of name recognition, which is why most incumbents spend inordinate mounts of their time between elections making sure their names are repeated over and over again, whether at ribbon cuttings of Fourth of July parades or on the Sunday morning talk show circuit. There's the well - known fund - raising advantage that incumbents enjoy, for interest groups—whether on the left or the right—tend to go with the odds when it comes to political contributions. And there's the role of political gerrymandering in insulting House members from significant challenge: These days, almost every congressional distinct is drawn by the ruling party with computer-driven precision to ensure that a clear majority of Democrats or Republicans reside within its borders. Indeed, it's not a stretch to say that most voters no longer choose their representatives; representatives choose their voters.

Political scientists can give you a number of reasons
주어 동사 간접목적어 직접목적어(명사구+
for this phenomenon.
부사구)
정치학자들은 이 현상에 대해 당신에게 많은 이유들을 제공할 수 있습니다.

In today's interconnected world, it is difficult to
부사구(전치사구) 가주어 동사 보어 진주어
penetrate the consciousness of a busy and distracted electorate.
{to부정사+목적어(명사구)}
오늘날의 복잡하게 얽혀진 세계에서, 바쁘고 혼란스러운 유권자들의 의식 속으로 파고들어간다는 것은 어려운 일입니다.

As a result, winning in politics mainly comes down
부사구(전치사구) 주어(명사구) 부사 동사구
to a simple matter of name recognition, which is
부사구[전치사+명사구+ 형용사절{관계대명사+동사+
why most incumbents spend inordinate mounts of their time
보어절(부사+주어+ 동사+ 목적어<명사구+

between elections making sure their names are repeated
부사구+ 부사구「현재분사+부사+목적절『주어+동사+
over and over again, whether at ribbon cuttings of Fourth of July
부사구』+ 부사구『접속사+부사구+
parades or on the Sunday morning talk show circuit.
접속사+부사구』」>))}]
결과적으로, 정치에서 이긴다는 것은 이름 알리기라는 단순한 사실에서 거의 판가름 나므로, 이것은 왜 대부분의 현직자들이 일요일 아침 순회 토크쇼에 출현하거나 7월 4일 행진의 테이프 자르기 행사 등에서 자신의 이름을 거듭 거듭 확실히 알리기 위해 선거 사이의 기간에 비상식적으로 많은 시간을 소요하는 이유입니다.

There's the wel - known fund - raising advantage
주어+동사 보어[명사구+
that incumbents enjoy, for interest groups—whether on the left
형용사절{관계대명사+주어+동사+부사절(접속사+주어+ — 접속사+부사구+
or the right—tend to go with the odds when it comes to political
접속사+부사구 — 동사구+부사구+부사절<접속사+주어+동사+부사구>)}]
contributions.
현직자가 누릴 수 있는 잘 알려진 모금활동에서의 이점이 있는데, 그것은 이익 집단—좌파든 우파든—은 정치헌금을 해야 할 때는 승산이 있는 쪽으로 기우는 경향이 있기 때문입니다.

And there's the role of political gerrymandering in insulting
접속사 주어+동사 보어(명사구+ 부사구+
House members from significant challenge:
부사구)
그리고 심각한 도전으로 위기에 몰린 하원의원들에 대한 정치적 게리맨더링의 역할이 있습니다:

These days, almost every congressional distinct is drawn
부사구 부사 주어 동사
by the ruling party with computer-driven precision
부사구 부사구
to ensure that a clear majority of Democrats or Republicans reside
부사구{to부정사+목적절(접속사+주어+ 동사+
within its borders.
부사구)

오늘날, 거의 모든 의회 지역구는 그 경계 내에서 민주당원이나 공화당원의 명백한 다수가 거주하도록 여당에 의해 컴퓨터로 조정된 구획으로 나누어져 있습니다.

Indeed, it's not a stretch to say that most voters no longer
부사 가주어+동사 보어 진주어{to부정사+목적절(접속사+주
choose their representatives; instead, representatives choose
어+부사구+동사+목적어; 부사+ 주어+ 동사+
their voters.
목적어)}

사실, 대부분의 유권자들은 더 이상 그들이 대표를 뽑는 것이 아니라; 오히려 대표들이 유권자를 뽑는 것이라고 말하는 것은 과장이 아닙니다.

Another factor comes into play, though, one that is rarely mentioned but that helps explains why polls consistently show voters hating Congress but liking their congressman. Hard as it may be to believe, most politicians are pretty likable folks.

Another factor comes into play, though, one
주어 동사 부사구 접속사 부사구[명사+
that is rarely mentioned but that
형용사절{관계대명사+동사+부사}+접속사+형용사절{관계대명사+
helps explains why polls consistently show voters
동사+목적어+부사절(부사+주어+부사+동사+목적어+목적격보어
hating Congress but liking their congressman.
<현재분사+목적어+접속사+현재분사+목적어>)}]
그렇지만, 또 다른 요소가 작용하는데, 그것은 가끔 언급되는 것이지만, 왜 여론조사가 끊임없이 유권자들이 의회는 미워하면서 의원은 좋아하는지를 보여주는지 설명하는데 도움이 됩니다.

Hard as it may be to believe, most politicians are
부사절(보어+접속사+주어+동사+부사구) 주어 동사
pretty likable folks.
보어(명사구)
실로 믿기 어려운 일이지만, 대부분의 정치가들은 상당히 좋아할 만한 사람들입니다.

Certainly I found this to be sure of my Senate colleagues. One-on-one they made for wonderful company—I would be hard-pressed to name better storytellers than Ted Kennedy or Trent Lott, or sharper wits than Kent Conrad or Richard Shelby, or warmer individuals than Debbie Stabenow or Mel Martinez. As a rule they proved to be intelligent, thoughtful, and hardworking people, willing to devote long hours and attention to the issues affecting their states. Yes, there were those who lived up to the stereotype, those who talked interminably or bullied their staffs; and the more time I spent on the Senate floor, the more frequently I could identify in each senator the flaws that we all suffer from to varying degrees— a bad temper here, a deep stubbornness or unquenchable vanity there. For the most part, though, the quotient of such attributes in the Senate seemed no higher than would be found in any random slice of the general population. Even when talking to those colleagues with whom I most deeply disagreed, I was usually struck by their basic sincerity—their desire to get things right and leave the country better and stronger; their desire to represent their constituents and their values as faithfully as circumstances would allow.

Certainly I found this to be sure of my Senate colleagues.
부사 주어 동사 목적어 부사구(to부정사+보어+부사구)
나는 이것을 상원의 동료들로부터 분명히 확인할 수 있었습니다.

One-on-one they made for wonderful company— I would
부사절(부사구+주어+동사구+목적어) 주어 동사
be hard-pressed to name better storytellers than Ted Kennedy
보어 부사구{to부정사+목적어(명사구+접속사+명사+
or Trent Lott, or sharper wits than Kent Conrad or Richard Shelby,
접속사+명사+접속사+명사구+접속사+명사+접속사+명사+
or warmer individuals than Debbie Stabenow or Mel Martinez.
+접속사+명사구+접속사+명사+접속사+명사)}

그들 한 사람 한 사람은 대단한 동료들이었습니다. 나는 테드 케네디나 트렌트 로트보다 더 나은 이야기꾼, 켄트 콘래드나 리차드 셸비보다 더 날카로운 재치꾼, 데비 스테브나우나 멜 마르티네즈보다 더 따뜻한 개인의 이름을 대기는 대단히 어려울 것입니다.

As a rule they proved to be intelligent, thoughtful, and
부사구 주어 동사 목적어(to부정사+보어)
hard working people, willing to devote long hours and attention
부사구{현재분사구+목적어(명사구)+
to the issues affecting their states.
부사구(전치사구+현재분사+목적어)}
마치 하나의 규칙처럼 그들은 지적이고 생각이 깊고 열심히 일하는 사람인 을 증명했고, 오랜 시간을 헌신하고 자신의 주에 영향을 주는 문제에 대해 주의력을 기울이기를 원했습니다.

Yes, there were those who lived up to the stereotype,
부사 주어 동사 보어절{주어+형용사절(관계대명사+동사+부사구)}
those who talked interminably or bullied their staffs;
보어절{주어+형용사절(관계대명사+동사+부사+접속사+동사+목적어)}
and the more time I spent on the Senate floor, the more
접속사 부사절(부사구+주어+동사+부사구+ 부사구
frequently I could identify in each senator the flaws
주어 동사 부사구(전치사구) 목적어
that we all suffer from to varying degrees—a bad temper here,
목적격보어절(접속사+주어+부사+동사구+전치사구—명사구+부사
a deep stubbornness or unquenchable vanity there.
명사구+ 접속사+명사구+ 부사)
그렇습니다. 고정관념에 익숙해 있는 사람, 지루하게 이야기하거나 직원들을 괴롭히는 사람들도 있습니다; 그리고 내가 상원 건물에서 보내는 시간이 많아지면 많아질수록, 나는 각 상원의원으로부터 다양한 수준에서 우리 모

두에게 고통을 주는 결점-여기에서는 나쁜 성격, 저기에는 심각한 완고성 또는 못 말리는 허영심-을 더 자주 확인 할 수 있었습니다.

For the most part, though, the quotient of such attributes
부사구 접속사 주어(명사구+
in the Senate seemed no higher than would be found in any
부사구) 동사 부사구 동사 부사구
random slice of the general population.
(전치사구)
그렇지만 대부분, 상원에서의 이러한 속성의 지수는 일반인들의 통상적인 단면에서 볼 수 있는 것보다 더 높아 보이지는 않습니다.

Even when talking to those colleagues with whom
부사 부사구{접속사+현재분사구+목적어+형용사절(전치사+관계대명사
I most deeply disagreed, I was usually struck by their basic
+주어+부사구+동사구) 주어 동사+부사 부사구{전치사구
sincerity–their desire to get things right and leave the country
–명사구+to부정사+목적어+목적격보어+접속사+to부정사+
better and stronger; their desire to represent their constituents
목적어+목적격보어 ; 명사구+to부정사+목적어+
and their values as faithfully as circumstances would allow.
접속사+목적어+부사+부사+부사절(접속사+주어+동사)}
나와 심각하게 의견이 다른 동료들과 이야기를 나눌 때조차도, 나는 그들의 근본적인 진실성-매사를 올바르게 처리하고 국가를 보다 좋고 강하게 만들고자 하는 욕망; 여건이 허락하는 한 지지자들과 그들의 가치관을 정당하게 대변하고자 하는 욕망-에 늘 충격을 받곤 했습니다.

So what happened to make these men and women appear as the grim, uncompromising, insincere, and occasionally mean characters that populate our nightly news? What was it about the process that prevented reasonable, conscientious people from doing the nation's business? The longer I served in Washington, the more I saw friends studying my face for signs of a change, probing me for a newfound pomposity, searching for hints of argumentativeness or guardedness. I began examining myself in the same way; I began to see certain characteristics that I held in common with my new colleagues, and I wondered what might prevent my own transformation into the stock politician of bad TV movies.

So / what / happened to make / these men and women
접속사 / 주어 / 동사구 / 목적어
appear / as the grim, uncompromising, insincere, and
목적격보어 / 부사구{전치사+명사구+
occasionally mean characters that populate our nightly news?
형용사절(관계대명사+동사+목적어)}

도대체 무엇이 이 남자와 여자들을 심야 뉴스에 등장하여 냉혹하고, 비타협적이고, 불성실하고, 때로는 비열한 인간처럼 보이게 한단 말입니까?

What / was / it / about the process that prevented reasonable,
보어 / 동사 / 주어 / 부사구{부사구+형용사절(관계대명사+동사+명사구+
conscientious people from doing the nation's business?
부사구(전치사+현재분사+목적어)}

국가사업을 시행하는 합리적이고 양심적인 사람이라는 것을 부인하게 하는 과정상의 문제는 무엇이었을까요?

The longer I served in Washington, the more I saw
부사절(부사+주어+동사+부사구) 부사 주어 동사
friends studying my face for signs of a change, probing me
목적어 목적격보어(현재분사+목적어+부사구) 목적격보어(현재
for a new found pomposity, searching for hints of argumentativeness
분사+목적어+부사구) 목적격보어(현재분사구+목적어)
or guardedness.
내가 워싱턴에서 오래 근무하면 할수록, 내 얼굴에서 변화의 징조를 찾거나, 내게서 새롭게 발견된 거만함을 증명하거나, 논쟁이나 방어의 실마리를 찾으려는 친구들을 더 많이 볼 수 있었습니다.

I began examining myself in the same way;
주어 동사 목적어(현재분사+목적어) 부사구(전치사구)
I began to see certain characteristics that I held in common
주어 동사구 목적어{명사구+형용사절(관계대명사+주어+동사
with my new colleagues, and I wondered what might
+부사구+부사구)} 접속사 주어 동사 목적절{관계대명
prevent my own transformation into the stock politician of bad TV
사+동사+목적어+ 부사구)}
movies.
나는 같은 방식으로 나 자신을 시험하기 시작했습니다; 나는 새 동료들과의 사이에서 흔히 갖게 되는 어떤 특성들을 살펴보기 시작했고, 그리고 무엇이 나쁜 TV영화에 나오는 부류의 정치인으로 나 자신이 변화하는 것을 막아줄 수 있을지 의문을 가졌습니다.

9. 영어의 역사

영어는 영국을 비롯하여 영연방 국가들과 미국에서 쓰는 말과 글입니다. 현재 세계의 공용어로 쓰이고 있습니다. 영어권이 아닌 나라에서는 대부분 필수적으로 영어 교육을 실시하고 있습니다. 우리나라는 어느 나라와 비교해도 뒤지지 않을 만큼 오랜 시간 열심히 영어를 배우고 있습니다.

영어를 배운다는 것은 영어의 어문학 학습을 한다는 것이지만, 영어의 기원과 역사를 아는 것도 필요합니다. 영어의 역사를 알고 영어를 배우면 훨씬 더 친밀하고 분명하게 영어에 접근할 수 있기 때문입니다. 영어가 새롭게 배워야 하는 언어임에는 틀림없지만, 역사적 문화적 배경을 알면 보다 쉽고 흥미롭게 배울 수 있는 언어라는 것을 확인할 수 있습니다.

1. 알파벳의 기원

영어는 알파벳이라는 문자를 사용하는 언어입니다. 알파벳은 B.C. 1,500년경~B.C. 500년경 지중해 동부 연안에서 융성했던 해양민족 페니키아인들이 최초로 사용했던 것으로 알려져 있습니다. 페니키아는 지중해 동부 연안에 위치한 2만㎢ 정도 크기의 작은 나라였습니다.

페니키아인들은 지중해 일대를 항해하며 무역을 하는 한편 곳곳에 식민지를 건설했고, 그들이 쓰던 알파벳은 지중해 연안의 나라들에 전해졌습니다. 이렇게 전파된 알파벳은 유럽과 중앙아시아의 여러 문자의 기원이 되었습니다. 페니키아문자의 발달된 형태로 현존하는 문자로는 히브리문자와 아랍문자가 있습니다.

그리스에는 B.C. 13세기경에 이미 고대 그리스문자가 있었습니다. B.C. 9세기 중엽에 페니키아문자가 도입되었습니다. 그러나 고대 그리스문자는 인도-유럽어족 Indo-European Family에 속했고, 페니키아문자는 셈어족 Semitic Language Family에 속했습니다. 출신이 다른 두 문자가 융합되는 데에는 2세기 정도의 시간이 걸렸으며, 모양에도 상당한 변화가 있었습니다. B.C. 7세기 중반 그리스문자가 완성되는 시기에 그리스 문화는 찬란한 꽃을 피우기 시작했습니다.

페니키아문자가 처음 그리스에 도입될 때에는 22개의 철자로 자음과 반자음만 있고 모음은 없었습니다. 그러나 그리스문자는 24개 철자로 a, e, i, o, u 5개의 모음을 갖추었습니다. 모음이 없어 불완전했던 페니키아문자를 자음과 모음을 갖춘 완전한 문자로 발전시킨 것입니다. 알파벳이란 그리스문자의 첫 두 글자인 알파와 베타를 합친 말입니다.

B.C. 403년경에는 이오니아문자가 아테네를 비롯한 그리스 전역에서 사용되었습니다. 이 무렵에 지역마다 조금씩 다른 10개의 그리스문자가 있었습니다. 동부군에 속하는 문자가 6개, 서부군에 속하는 문자가 4개였습니다.

〈그리스어(헬라어) 알파벳〉

	그리스어 알파벳		그리스어 알파벳
1	Α α 알파	13	Ν ν 뉴
2	Β β 베타	14	Ξ ξ 크사이
3	Γ γ 감마	15	Ο ο 오미크론
4	Δ δ 델타	16	Π π 파이
5	Ε ε 엡실론	17	Ρ ρ 로
6	Ζ ζ 제타	18	Σ σ 시그마
7	Η η 이타	19	Τ τ 타우
8	Θ Θ 세타	20	Υ υ 입실론
9	Ι ι 이오타	21	Φ φ 화이
10	Κ κ 카파	22	Χ χ 카이
11	Λ λ 람다	23	Ψ ψ 프사이
12	Μ μ 뮤	24	Ω ω 오메가

이탈리아 지역에는 B.C. 11세기경에 그리스 민족인 페리스지언인들이 이민해 오기 시작했으며, B.C. 9세기경에는 북쪽에서 에트루리아인들이 들어왔습니다. 수세기 동안 두 민족이 대립했으나 점차 에트루리아인이 우위를 차지했습니다.

B.C. 7세기경부터 이탈리아 남부 지중해의 섬들에 그리스

식민지가 건설되었습니다. B.C. 600년경에는 라티움 지역에 거주하던 라틴족이 로마를 건설했습니다. 그리스문자 서부군에 속한 찰시디언문자가 이탈리아에 들어온 것이 이 무렵이었습니다.

B.C. 281년에 라틴족이 에트루리아를 격파하고 이탈리아를 장악했습니다. 라틴족의 로마는 계속 영토를 확장하였고 B.C. 27년에는 공화정에서 제정으로 바뀌었습니다. 거대 제국 로마제국이 탄생된 것입니다.

찰시디언문자에 기초를 둔 라틴문자는 A.D. 1세기에 완전한 형태를 갖추어 정비를 마쳤습니다. 당시 라틴문자는 23자였습니다. 후에 I로부터 J가 추가되고, V로부터 U, W가 추가되어 모두 26자가 되었습니다.

페니키아문자에서 에트루리아문자와 찰시디언문자를 거쳐 로마에서 완성된 라틴문자는 모양이 분명하고 세련된 문자였습니다. 라틴문자는 광대한 로마제국의 영토 내에서 사용되었으며 이후 유럽 문자들의 모체가 되었습니다.

<라틴 알파벳>

Aa Bb Cc Dd Ee Ff Gg Hh Ii Kk Ll Mm
Nn Oo Pp Qq Rr Ss Tt Vv Xx Yy Zz

2. 영어의 시대 구분

영어를 이해하는데 있어서 영국의 역사를 아는 것은 크게 도움이 됩니다. 하나의 언어를 알기 위해서는 그 나라의 문화를 아는 것이 필요하고, 그 나라의 문화를 알기 위해서는 그 나라의 역사를 아는 것이 필요하기 때문입니다. 영어의 역사는 일반적으로 다섯 시대로 구분합니다.

1) 고대 영어 이전 시대

브리튼섬에는 청동기 시대 이후 켈트족이 살고 있었으며 이들은 켈트어를 사용했습니다. 로마의 카이사르는 지금의 프랑스 지역인 갈리아를 정복한 후 B.C. 55년과 54년에 영국에 침입했으나 원주민의 저항을 받아 갈리아로 돌아갔습니다. 이후 90년간 영국은 로마의 영향으로부터 벗어나 있었습니다.

A.D. 43년에 로마 황제 클라우디우스가 4만의 병력으로 다시 영국을 공격하여 점령했습니다. 이때부터 A.D. 410년에 로마군이 철수할 때까지 360여 년 동안 영국은 로마의 지배하에 있었습니다.

로마가 영국을 지배하는 동안 영국의 로마화가 진행되었으며 상류층과 도시에서는 라틴어가 사용되었습니다. 그러나 대부분의 주민은 켈트어를 계속 사용하고 있었습니다. 로마군이 물러간 후에 영국에서의 라틴어 사용은 미미해졌습니다.

2) 고대 영어 시대

410년에 로마군은 제국의 사정에 의해 영국에서 철수했습니다. 이때를 노려 영국 북부의 픽트족과 서부의 스카티족이 켈트족을 공격해 왔습니다. 켈트족은 로마에 지원을 요청했으나 로마는 지원군을 보낼 형편이 못 되었습니다. 다급해진 켈트족은 지금까지 적이었던 바다 건너의 앵글로-색슨족에게 도움을 요청했습니다.

449년 앵글로-색슨족은 바다를 건너와 픽트족과 스카티족을 축출했습니다. 그러나 이들은 브리튼인의 기대와는 달리 브리튼인마저 밀어내고 영국의 대부분을 점령해 버렸습니다. 이때 끝까지 항전했던 켈트왕의 이야기가 후세에 쓰여진 <아더왕 이야기>입니다.

그 후 약 100년 동안 게르만의 일파인 앵글족, 색슨족, 주트족이 계속 영국으로 유입되었고, 이곳의 이름도 잉글랜드로 불리기 시작했습니다. 고대 영어 시대는 앵글로-색슨족이 들어온 449년을 시작으로 보고 있습니다.

앵글족, 색슨족, 주트족은 모두 저지低地 서西게르만어를 사용하고 있었기 때문에 서로 소통이 가능했습니다. 이들은 대륙에 있을 때 루운문자를 사용하고 있었으며, 영국으로 진출한 다음에도 계속 루운문자를 사용했습니다. 그러나 영국에 기독교가 전파되면서 고유의 루운문자를 버리고 라틴문자를 사용하기 시작했습니다.

597년에 교황은 아우구스티누스가 이끄는 선교단을 보내어 브리튼섬의 기독교화를 추진했습니다. 영국에 기독교가 이미 들어와 있었지만 이때 본격적으로 전파되어 백여 년 후에 영국은 중요한 기독교 국가의 하나가 되었습니다. 기독교와 더불어 고대 영어도 발전했습니다. 이 시기를 대표하는 문학으로는 8세기 초에 쓰여진 작자 미상의 대 서사시 <베어울프>가 있습니다.

8세기 후반부터는 크게 세 차례 스칸디나비아인들의 침입이 있었습니다. 첫 번째는 787년~794년과 834년의 침입으로 소규모의 개별적 침입이었습니다. 두 번째는 850년~878년에 있었던 데인인의 대규모 침입으로 878년 웨드모어 조약으로 침입은 종결되었습니다. 그러나 동쪽 지방은 데인인이 거주하는 데인로로 남아 있었습니다. 세 번째는 878년~1042년이었습니다. 1042년 영국왕 에드워드 참회왕의 즉위로 덴마크와 영국 간의 250년 이상 계속된 전투는 종결되었습니다.

스칸디나비아인들의 침입이 계속되는 동안에 영국에는 스칸디나비아의 문화와 언어가 많이 유입되었습니다. 스칸디나비아인과 영국인과는 혈통적으로 동족으로 여겨졌으며, 언어도 비슷한 점이 많아 두 언어는 쉽게 융화될 수 있었습니다.

고대 영어 시대는 켈트어, 루운문자를 쓰는 앵글로-색슨어, 라틴어, 스칸디나비아어가 혼합되어 영어가 형성된 시대라고 할 수 있습니다.

3) 중세 영어 시대

1066년 1월 에드워드왕이 죽었으나 그에게는 직계 후계자가 없었습니다. 의회에 의해 해럴드 Ⅱ세가 왕이 되었으나 노르만디공 윌리엄은 자신이 적법한 계승자라고 주장했습니다.

노르만디는 바다 건너 프랑스어를 쓰는 노르만인 지역이었습니다. 그 해 10월에 해럴드와 윌리엄의 결전이 헤이스팅스에서 벌어져 해럴드는 전사하고 윌리엄이 승리했습니다. 영국은 노르만디공, 즉 정복왕 윌리엄 I 세의 강력한 통치 아래 통일된 국가를 이루게 되었습니다. 이때를 중세 영어 시대의 시작으로 보고 있습니다.

영국의 지배 계층은 프랑스어를 하는 노르만 사람으로 채워지기 시작했으며, 일부 영국인들은 프랑스어를 사용하기 시작했습니다. 이후 300년 가까이 프랑스어는 상류사회의 언어가 되었고, 영어는 서민의 언어가 되었습니다.

1204년에 영국은 노르만디를 상실하여 대륙과 분리되었습니다. 이때부터 영국인이라는 인식이 고조되고 프랑스어의 사용도 감소하기 시작했습니다. 영국인과 프랑스인 사이의 감정은 갈수록 나빠져 마침내 양국 간에 백년전쟁(1337~1453)이 벌어졌습니다. 영국에서 프랑스어는 적국의 언어가 되었습니다.

1349년에 학교에서는 프랑스어가 아닌 영어로 교육을 하기 시작했고, 1362년에 영국왕은 처음으로 의회 개회사를 영어로 했으며, 1425년 이후에는 모든 분야에서 영어가 공식용어가 되었고, 1450년 이후에는 길드의 모든 기록이 영어로 작성되었습니다. 영어가 영국의 유일한 언어가 된 것입니다.

영국인으로서 민족성이 부각되고, 대륙으로부터 독립적인 국가가 형성된 이 시기에 영어 문학과 문법에 많은 발전이 이루어졌습니다. 이 시대의 위대한 시인은 영어로 <캔터베리 이야기>를 쓴 초서(1340?~1400?)였으며, 초서를 모방한 많은 시인들이 등장하였습니다.

4) 초기 현대 영어 시대

1476년 인쇄술의 도입으로 많은 서적들이 대량으로 보급되기 시작했습니다. 이에 따라 교육과 학문도 발전하여 학교의 숫자가 크게 늘었으며, 그 결과 반 이상의 국민이 읽고 쓸 줄 알게 되었습니다. 문법이 정비되었고, 어휘도 크게 증가했습니다. 이때를 초기 현대 영어 시대의 시작으로 보고 있습니다.

이탈리아에서 시작된 르네상스는 영어에 큰 영향을 미쳤습니다. 다양한 학문과 사고가 유입됨으로 새로운 표현과 어휘가 필요했던 것입니다. 르네상스 시대에는 문학에도 큰 업적이 이루어져 셰익스피어를 비롯하여 많은 시인, 작가들이 활동했습니다.

지리상의 발견도 영어에 상당한 영향을 미쳤습니다. 모험심에 불타는 사람들이 등장했고, 식민지와 노예 획득에 열중한 것이 이때였습니다. 낯선 나라와 낯선 풍물에 대한 지식의 전달이 언어에 영향을 줄 수밖에 없었습니다.

종교개혁도 영향을 주었습니다. 세속과 영혼에 대한 근본적인 문제가 종교를 통해 표출되었던 것입니다. 유럽 각국에서는 기독교 국가의 공통언어였던 라틴어 대신에 영어, 프랑스어, 독일어, 스페인어 등 자국의 언어에 대한 관심이 더욱 높아졌습니다.

이 무렵에 영어의 우수성을 주장하는 사람들과 영어는 라틴어의 우수성을 따라갈 수 없다는 사람들이 맞섰습니다. 그 영향으로 라틴어는 일부 지식층에서, 영어는 민중 사이에서 통용되었습니다. 시간이 흐를수록 대중이 사용하는 영어가 우위를 차지했으나, 영어에 라틴어의 유입도 크게 증가했습니다.

라틴어를 비롯한 많은 외래어의 도입으로 영어의 문법과 철자법도 혼란스러울 수밖에 없었습니다. 영어를 표준화시켜 철자법과 문법을 정비하고, 문장을 체계 있게 순화하려는 노력이 계속되어 1650년대부터 성과를 거두기 시작했습니다. 1755년에는 약 4만 개의 표제어가 실린 영어사전이 출간되었습니다. 문어와 구어의 차이를 극복하려는 연구도 진행되었습니다. 그리고 세계 곳곳의 영국 식민지에 영어가 모국어가 된 것도 이 시대였습니다.

5) 후기 현대 영어 시대

1789년에 프랑스에서 혁명이 일어나고 곧 이어 나폴레옹이 집권하면서 전 유럽이 나폴레옹 전쟁에 휘말렸습니다. 영국은 프랑스의 대륙봉쇄령으로 참담한 고통을 겪게 되었습니다. 그러나 1805년 트라팔가르 해전에서 영국 해군이 프랑스군에 승리를 거둠으로써 영국은 유럽의 강대국으로 우뚝 섰습니다. 더불어 영어의 위상도 크게 높아졌습니다. 이때를 후기 현대 영어 시대의 시작으로 보고 있습니다.

유럽 각국에서는 민족주의가 대두되고, 영국에서 시작된 산업혁명의 여파로 자본주의와 과학이 급속도로 발달했습니다. 새로운 문명, 새로운 분야에 대한 어휘가 급격히 증가했습니다. 이러한 변혁 속에서 각국의 언어는 보존과 사용에 더욱 충실해졌습니다.

20세기로 들어와 인류는 1, 2차 세계대전을 겪었습니다. 전후에 신문, 라디오 등 매스컴은 더욱 확산되었고 기차와 자동차에 이은 비행기의 발달로 변화의 속도는 더욱 빨라졌습니다. 경제적 사회적 변화는 극심했으나 상대적으로 언어에는 변화가 적었습니다. 언어는 기본틀이 이미 갖추어졌기 때문이었습니다. 이 시대에 영국과 미국은 세계를 이끌어가는 선진국이었으며, 영어는 국제 공용어로서 확실하게 자리 잡았습니다.

현재 영어를 모국어로 쓰는 주요 국가와 인구수는 영국 약 6천만 명, 미국 약 3억 명, 캐나다 약 3천 5백만 명, 오스트레일리아 약 2천만 명, 뉴질랜드 약 4백만 명 등이고, 그밖에 영연방 국가들, 과거에 영국의 식민지였던 나라들에서 영어를 쓰고 있습니다. 철자와 발음과 문법에 약간의 차이가 생겨 영어와 미국어를 구분하려는 움직임이 있지만, 아직은 시기가 아닌 것 같습니다.

언어에는 생명이 있으며 끊임없이 진화하고 있습니다. 1446년 세종대왕께서 처음 창제하셨을 때의 한글과 지금의 한글에는 차이가 있습니다. 영어도 마찬가지입니다. 더구나 영어는 한글처럼 순수 혈통이 아니고 많은 외래어들이 유입되어 이루어진 언어이기 때문에 앞으로도 개선과 변화가 계속될 것으로 예상됩니다.

예를 들면, 철자법의 혼란, 품사의 혼용, 명사·동사·형용사의 불규칙변화, 동사 시제의 애매성, 모음의 복잡한 발음 등은 개선되어야 할 점들입니다. 이런 것들이 이른바 문법으로서 각종 시험에 많이 나오는 문제들입니다. 아마, 시간이 흐르면서 이러한 점들에 대해서는 변화가 있을 것입니다.

현재 영어는 세계 공용어로서 확고한 위치를 차지하고 있습니다. 그리고 미국이 세계 유일의 초강대국인 것도 분명합니다. 그것이 현실인 이상, 우리는 영어를 배우지 않을 수 없습니다. 가장 짧은 시간 안에, 가장 정확하게 효과적으로 영어를 배워야 한다는 것이 우리의 과제입니다. ■

최 종 수

서울에서 출생하여 연세대학교 국문학과를 졸업했습니다. 모든 창작과 학문에 있어서 기본이 가장 중요하고, 언어의 원리는 영어나 한글이나 마찬가지라는 생각을 가지고 있습니다. 우리 학생들이 너무 어렵고 힘들게 영어를 배우는 것을 몹시 안타까워하고 있습니다. 쓴 책으로는 <비 해피 영어>시리즈, <서울 역사 문화 탐방> 등이 있습니다.

OK 영어 OK

발행일 2010년 7월 01일 초판 1쇄 인쇄
2010년 7월 10일 초판 1쇄 발행

지은이 최종수
발행처 역민사
등록 1979. 2. 23. 서울 제 10-82호
주소 143-725 서울 광진구 구의3동 587-54
전화 02) 2274-9411
이메일 ymsbp@yahoo.co.kr

ISBN 978-89-85154-37-6 03740
값 11,000원